Matthias Lehnherr
Hans-Ulrich Thomas

Natur- und Kulturgeschichte der Honigbiene

Band 5

Fachschriftenverlag des Vereins deutschschweizerischer
und rätoromanischer Bienenfreunde

Dank

Der Zentralvorstand des VDRB, die Buchkommission und die Projektleitung danken
- den Autorinnen und Autoren für ihr grosses, persönliches und zeitliches Engagement, ihre Ausdauer bei der Textarbeit und ihren Fleiss beim Zusammentragen und Auswählen des grossen Fachwissens,
- den Textleserinnen und -lesern für ihre wichtige Arbeit im „Verborgenen",
- den Mitarbeiterinnen und Mitarbeitern des Zentrums für Bienenforschung Liebefeld für ihre begleitende Beratung,
- der Gestalterin und dem Gestalter für die konstruktive, angenehme Zusammenarbeit und ihre kreative, kompetente, formgebende Arbeit,
- den Fotografinnen und Fotografen für ihre einmaligen Bildbeiträge aus nah und fern,
- den Lektorinnen und der Korrektorin für ihre kritischen und klärenden Textkorrekturen.

Impressum

Zentralvorstand VDRB: Hanspeter Fischer (Präsident), Berchtold Lehnherr, Heinrich Leuenberger, Hans Maag, Hansjörg Rüegg, Gebhard Seiler, Hans-Georg Wenzel

Buchkommission: Hansjörg Rüegg (Vorsitz), Peter Fluri, Christoph Joss, Matthias Lehnherr, Markus Schäfer, Gebhard Seiler

Projektleitung: Matthias Lehnherr (Gesamtleitung) und Markus Schäfer
Redaktion Band 5: Matthias Lehnherr
Lektorat: Pascale Blumer
Korrektorat: Annemarie Lehmann

Gestaltung: Wiggenhauser & Woodtli, Zürich
Scanbelichtungen und Druck: Trüb-Sauerländer AG, Aarau

© Fachschriftenverlag VDRB
17., neue Auflage 2001

Alle Rechte vorbehalten.
Nachdruck oder Vervielfältigung des Buches oder von Teilen daraus nur mit ausdrücklicher Genehmigung des Verlages.

Fachschriftenverlag VDRB
Postfach 87
6235 Winikon
www.vdrb.ch

ISBN 3-9522157-4-0

Die Deutsche Bibliothek – CIP-Einheitsaufnahme
Der schweizerische Bienenvater / Verein Deutschschweizerischer und Rätoromanischer Bienenfreunde. Winikon : Fachschriftenverl. VDRB
   ISBN 3-9522157-9-5

   Bd. 5. Natur- und Kulturgeschichte der Honigbiene / Matthias Lehnherr ;
Hans-Ulrich Thomas. - 17., neue Aufl.. - 2001
   ISBN 3-9522157-4-0

Der Schweizerische Bienenvater erschien erstmals 1889, im Selbstverlag der Verfasser J. Jeker, U. Kramer, P. Theiler. Die Autoren veröffentlichten in dieser **Praktischen Anleitung zur Bienenzucht** ihre Vorträge, die sie an Lehrkursen über Bienenzucht gehalten hatten.

Der „Schweizerische Bienenvater" hatte Erfolg. Durchschnittlich alle sieben Jahre erschien eine Neuauflage. Der Inhalt wurde dabei oft überarbeitet und erneuert. Zweimal seit seinem Erscheinen wurde das Standardlehrwerk vollständig neu geschrieben: 1929 (11. Auflage) von Dr. h.c. Fritz Leuenberger und 2001 (17. Auflage) von einem grossen Autorinnen- und Autorenteam.

Diese 17. Auflage erscheint erstmals in fünfbändiger Form, umfasst rund 550 Seiten und ist thematisch völlig neu gewichtet:

Band 1
Imkerhandwerk
Einer Imkerin und einem Imker über die Schulter geguckt – Aufbau einer Imkerei – Ökologische und ökonomische Bedeutung der Imkerei – Pflege der Völker im Schweizerkasten und im Magazin – Wanderung – Waben und Wachs – Massnahmen bei Krankheiten – Organisationen der Imkerei

Band 2
Biologie der Honigbiene
Anatomie und Physiologie – Drei Wesen im Bienenvolk – Lebenszyklus des Volkes und Massenwechsel – Lernfähigkeit und Verständigung – Krankheiten und Abwehrmechanismen

Band 3
Königinnenzucht und Genetik der Honigbiene
Einem Königinnenzüchter über die Schulter geguckt – Technik der Zucht – Begattung der Königin – Königinnen verwerten – Vererbungslehre – Züchtungslehre – Erbgut der Honigbienen in Mitteleuropa – Organisation der Züchterinnen und Züchter

Band 4
Bienenprodukte und Apitherapie
Honig, eine natürliche Süsse – Pollen, eine bunte Vielfalt – Bienenwachs, ein duftender Baustoff – Propolis, ein natürliches Antibiotikum – Gelée Royale, Futtersaft mit Formkräften – Bienengift, ein belebender und tödlicher Saft – Apitherapie

Band 5
Natur- und Kulturgeschichte der Honigbiene
Naturgeschichte: Insekten, die unterschätzte Weltmacht – Bienen – Wespen – Ameisen – Was kreucht und fleucht ums Bienenhaus?
Kulturgeschichte: Ursprungsmythen und Symbolik – Vom tausendfältigen Wachs – Geschichte der europäischen Bienenhaltung und -forschung

Inhalt

		Bildnachweis	6
Teil 1		Naturgeschichte der Honigbiene *(Hans-Ulrich Thomas)*	7
1		Insekten – die unterschätzte Weltmacht	8
	1.1	Klassifizierung der Insekten	9
	1.2	Hautflügler (Hymenoptera)	10
2		Bienen (Apidae)	12
	2.1	Eigentliche Honigbienen *(Apis)*	12
	2.2	Westliche Honigbiene *(Apis mellifera)*	13
	2.3	Östliche Honigbiene *(Apis cerana)*	19
	2.4	Andere Honigbienen	20
	2.5	Stachellose Honigbienen *(Melipona, Trigona)*	22
	2.6	Hummeln *(Bombus)*	23
	2.7	Solitärbienen	25
3		Wespen	28
	3.1	Soziale Faltenwespen (Vespinae)	28
4		Ameisen (Formicidae)	33
	4.1	Volk im Verborgenen	33
	4.2	Ameisen am falschen Ort	34
	4.3	Fleissige Waldarbeiterinnen	35
5		Was kreucht und fleucht ums Bienenhaus?	36
	5.1	Löwen unter dem Bienenhaus	36
	5.2	Spinnen	37

Teil 2		Kulturgeschichte der Honigbiene	39
1		Mythen und Symbolik *(Matthias Lehnherr)*	40
	1.1	Honig – Geschenk des Himmels	41
	1.2	Honig – Geschenk der Erde	43
	1.3	Met verbindet Menschen und Götter	44
	1.4	Biene und Honig als Zeichen der Wiedergeburt	45
	1.5	Honig und Wachs – Wahrheit und Licht	48
2		Vom tausendfältigen Wachs *(Matthias Lehnherr)*	52
	2.1	Wachs als Handelsgut	52
	2.2	Wachs als Heilmittel	54
	2.3	Wachs für plastische Darstellungen (Keroplastik)	54
	2.4	Wachs in der Malerei	63
	2.5	Wachs in der Technik	65
	2.6	Wachs als Lichtträger	67
3		Geschichte der europäischen Bienenhaltung und -forschung *(Matthias Lehnherr, Hans-Ulrich Thomas)*	72
	3.1	Honigernte in der Jungsteinzeit	72
	3.2	Bienenhaltung der alten Völker	74
	3.3	Hochblüte der Bienenhaltung im Mittelalter (300–1500 n. Chr.)	79
	3.4	Niedergang der traditionellen Imkerei	86
	3.5	Grosse Entdeckungen im Reich der Bienen	87
	3.6	Technik der Bienenzucht	92
	3.7	Vereinigung der Bienenfreunde	104
	3.8	Bienenforschung im 20. Jahrhundert	105
	3.9	Liebefelder Bienenforschung *(Peter Fluri)*	106
	3.10	Statistischer Rückblick	108
Quellen			111
Weiterführende Literatur			113
Register			114

Bildnachweis

Naturgeschichte
9 Wiggenhauser, F. nach Brückner, D., Universität Bremen; **17** de Camargo, J.M.F.; **21, 23 o., 26** Hintermeier, Helmut und Margrit (1994), Bienen, Hummeln, Wespen im Garten und in der Landschaft. München: Obst- und Gartenbauverlag; **33, 34** Honomichl, K. (1998): Biologie und Ökologie der Insekten. Stuttgart: Fischer Verlag; **30** Jutzeler, D.; **2** von Koenigswald, W., Institut für Paläontologie, Bonn; **4, 22, 23 u., 24, 25, 29, 32, 35, 36** Krebs, A.; **1** Rüdiger, W. (1977): Ihr Name ist Apis. München: Ehrenwirth (Koppermann); **28** Kulike, H.; **7, 8** Lehnherr, B.; **15** Nilgiris, Keystone Foundation, Indien; **5** Wiggenhauser, F. nach Ruttner F. (1992): Naturgeschichte der Honigbienen. München: Ehrenwirth; **10, 14, 16** Ruttner, F. (1992): Naturgeschichte der Honigbienen. München: Ehrenwirth; **18, 19** Sommeijer, M.; **20** Schmidt, M.; **3, 11, 27, 31** Thomas, HU.; **13** Warings, C.

Kulturgeschichte
84 Abegg-Stiftung, von Virag, Chr.; **116** Armbruster, Ludwig (1935): Archiv für Bienenkunde, Band 16, 1935, S. 295, 171; **93, 94, 95** Armbruster, L. (1940): Zur Bienenkunde und Imkerei des Mittelalters. Archiv für Bienenkunde, 21 (1/3), S. 6; **91** Avery, Myrtilla (1936): The Exultet Rolls of South Italy, Bd. 2, Universitätsbibliothek Basel; **102** Bagster, S. (1838): The management of bees. London: Saunders und Otley; **109–112** Berlepsch von, A. (1860): Die Bienen und die Bienenzucht in honigarmen Gegenden nach dem gegenwärtigen Standpunct der Theorie und Praxis, S. 228–259; **107, 108** Bessler, J.G. (1896), Illustriertes Lehrbuch der Bienenzucht. Stuttgart: Kohlhammer Verlag, S.174; **106** Beyer, Kühner, Kirsten (1862). Illustrierter Neuester Bienenfreund. Hamm: Grote'sche Buchhandlung. S.182; **53, 69** Bildarchiv Preussischer Kulturbesitz, Staatliche Museen Berlin (Büsing M.); **100** Bodenheimer, F.S. (1928): Geschichte der Entomologie, Bd.1. Berlin: Junk, W., S. 354; **90** Brückner, D., Universität Bremen; **54** Büll, Reinhard (1970), Vom Wachs, Band 1, Beiträge 10/11. Frankfurt: Hoechst, S. 931, Abb. 665; **68** Büll, R. (1995): Band 1, Beitrag 3. S. 114, Abb. 42; **75** Wiggenhauser, F. nach Büll, R. (1995): Band 1, Beitrag 8/1. S. 612, Abb. 400; **79** Büll, R. (1995): Band 1, Beitrag 8/1, S. 652, Abb. 449; **56, 62, 72, 73** Büll, R. Nachlass (Wachssammlung); **81** Büll, R., Nachlass. Aus: Christoff Weigel „Abbildungen der Gemein-Nützlichen Hauptstände", Regensburg 1698, später handkoloriert; **104, 105** Buttel von-Reepen, H.: (1915): Leben und Wesen der Bienen. Braunschweig: Vieweg; **41** Cappas, Pedro, Portugal; **43, 44, 45** Cardinali, F.B. (1699): Apum Auspicia. In: Gronovio J.: Thesaurus Graecarum antiquitatum. Band 7, S. 407–423. Universitätsbibliothek Basel; **71** Christ, D., Geelhaar, Cj. (1990): Arnold Böcklin, Die Gemälde im Kunstmuseum Basel. Basel: Öffentliche Kunstsammlung, S. 69; **83** Crane, Eva (1999), The World History of Beekeeping and Honey Hunting. London: Duckworth, S. 43; **39** Dircksen, R., G. (1967): Tierkunde. 2. Band: Wirbellose Tiere. München: Bayerischer Schulbuch-Verlag, S. 34; **117, 118** Doolittle, G.M. (1915): Scientific queen rearing as practically applied beeing a method by which the best of the queen-bees are reared in perfect accord with nature's ways. Hamilton: American Bee Journal; **119** Du (1951) Schweizerische Monatsschrift Nr. 4, S. 16; **103** Duchet, F. X. (1771): Culture des abeilles ou méthode experimentale et raisonnée. Vevey: Chenebie, S.137–154; **85** Garis Davies, N.(1943): The Tomb of Rekh-mi-Re at Thebes. Band 11. N.Y.: Egyptian Expedition Publications, Universitätsbibliothek Basel; **65** Germanisches Nationalmuseum Nürnberg; **37, 40** Gimbutas, Maria (1992), The Goddesses and Gods of Old Europe. London: Thames and Hudson, Abb. 139 , 178; **51** Jönsson, Birgit, Nürnberg, 1998; **101** Kleine, G. (1867): Franz Hubers neue Beobachtungen an den Bienen. Einbeck: Ehlers; **46** Kloster Santa Rita Agostiniana Cascia, Süditalien; **99** Korbimker, Der (1893), Luzern: Selbstverlag des Vereins; **97** Krünitz, J.G. (1773/74). Öconomische Encyclopädie, Band – Biene, Berlin. Universitätsbibliothek Basel; **113, 114** Langstroth, Lorenzo (1853, Nachdruck 1977), Langstroth on the Hive and the Honey-Bee. Medina: A.I.Root Company, S. 379, Abb. 1, S. 383, Abb. 16; **48** Lehnher,r M.; **74** „Lichter und Leuchter" (1987). Festschrift der TRILUX-Lenze GmbH, Arnsberg; **50** Maurer, Engelbert; **42** Magnus, O. (1555): Historia de Gentibus. Rom. Universitätsbibliothek Basel; **64** Moulagensammlung des Universitätsspitals und der Universität Zürich, Moulage Nr. 295, L. Vogler; **55, 57, 58, 59, 60, 61, 77, 78** Museum der Kulturen Basel (Abteilung Europa), Peter Horner; **49** Museum Narodowe, Wroclaw, Polen; **39** Museum von Herakleion; **71** Öffentliche Kunstsammlung Basel, Kunstmuseum, Bühler, M.; **76** Pfistermeister, U.; **92** Pfistermeister, U. (1982): Wachs-Volkskunst und Brauch. Bd. 1. Nürnberg: Verlag Hans Carl, S.37; **67** Rewald, John (1990), Degas's complete sculpture. San Francisco: Alan Wofsy Fine Arts, S. 127; **66** Rüdiger, W. (1977): Ihr Name ist Apis. München: Ehrenwirth; **88** nach Ruttner, F. (1977), Minoische und altgriechische Imkertechnik auf Kreta. In: Bienenmuseum und Geschichte der Bienenzucht. Bukarest: Apimondia, S. 227; **86, 87, 89** Ruttner, F. (1992): Naturgeschichte der Honigbienen. München: Ehrenwirth; **96** nach Schier, B. (1939): Der Bienenstand in Mitteleuropa. Leipzig: Hirzel, S. 45; **63** Schnalke, Th. (1995): Diseases in Wax. Quintessence Publishing, S. 28; **98** nach Sooder, M. (1952), Bienen und Bienenhalten in der Schweiz. Basel: Krebs Verlagsbuchhandlung, S. 24–43, Abb. 1, 2, 6, 8, 9, 10, 11, 13, 14, Tafel 14; **80** Städelsches Kunstinstitut, Frankfurt a.M. (Edelmann U.); **47** „Stuppacher Madonna" Bildarchiv, Kapellenpflege, D-97980 Stuppach-Bad; **83** Waring, C.; **70** Weitzmann, K. (1977): Die Ikonen. Herrsching: Pawlak Verlag, **6, 12, 52, 115** Wiggenhauser, F.; **16, 120** Zentrum für Bienenforschung Liebefeld

1 Naturgeschichte der Honigbiene

Hans-Ulrich Thomas

Die grosse Artenvielfalt der Bienen bildete sich vermutlich über geologische Zeiträume von mehr als 100 Millionen Jahren und gleichzeitig zu jener der Blütenpflanzen (Koevolution) (3). Dabei hat sich eine bedeutungsvolle Beziehung entwickelt: Die Pflanzen spenden Nektar und Pollen, die Bienen bestäuben beim Sammeln die Blüten (→ S. 89).

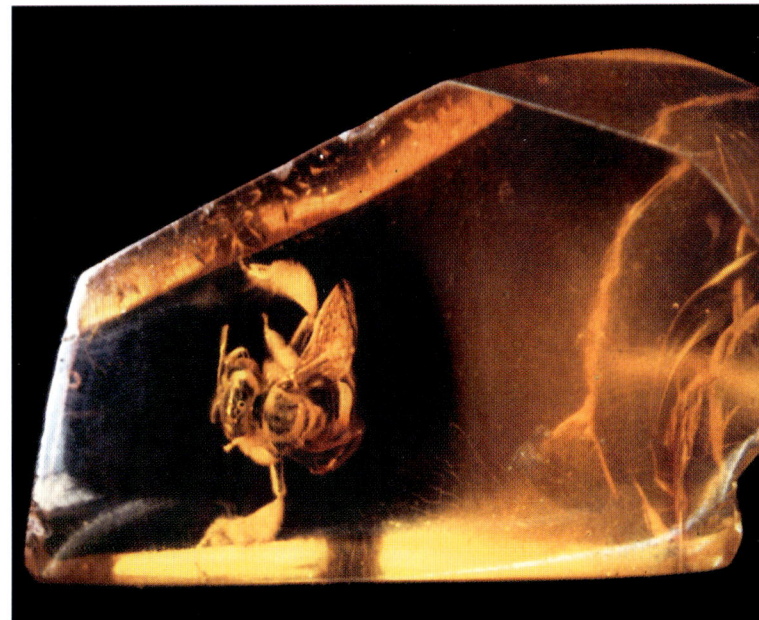

Abb. 1
Biene im Bernstein
Seit 50 Millionen Jahren ruht diese Stachellose Biene der Gattung *Melipona* (→ S. 22) in diesem goldfarbenen Bernstein, der zu Beginn des 20. Jahrhunderts an der Ostsee gefunden wurde. Stachellose Honigbienen haben sich seither kaum verändert. Sie sind heute in den Tropen heimisch. (12e)

Abb. 2
Versteinerte Biene
Diese Honigbiene flog vor 25 Millionen Jahren bestäubend und Nektar suchend von Blüte zu Blüte. Sie wurde als Fossil in Rott (Siebengebirge, nähe Bonn) gefunden.

1. Insekten – die unterschätzte Weltmacht

Bienen gehören zur Klasse der Insekten, die seit Jahrmillionen die Erde bevölkern und eine riesige Artenzahl und weite Verbreitung erreicht hat.

Über eine Million verschiedener Insekten wurde bisher entdeckt und beschrieben. Das sind mehr als 80% aller heute bekannten Tierarten! Auch bezüglich der Vielfalt von Farbe, Form, Lebensweise und Lebensraum übertreffen die Insekten alle anderen Tierklassen bei weitem. Nur in Körpergrösse und -gewicht sind sie bescheiden. Die Spanne reicht von 0,2 mm bis 30 cm Körperlänge oder Flügelspannweite und bis zu einem Gewicht von 100 g. Vielfältig ist auch ihre Entwicklung. Bei den Bienen und den meisten anderen Insekten verläuft sie über die Stadien Ei, Larve, Puppe zum ausgewachsenen Tier (→ Abb. 41, S. 40).

Bei den Insekten sind die **Käfer** (Coleoptera) mit 400 000 beschriebenen Arten die weitaus grösste Ordnung. Es folgen die **Schmetterlinge** (Lepidoptera, 150 000 Arten) und dann die **Hautflügler** (Hymenoptera, 120 000 Arten), zu denen die Honigbiene gehört. Es gibt noch ungefähr 30 weitere Insekten-Ordnungen.

Insekten: nützlich oder schädlich?

Auf den ersten Blick scheint der Mensch von den Insekten nicht direkt zu profitieren, Honigbienen und Seidenraupen ausgenommen. Meist erregen Insekten Abscheu und Ekel und werden als „Ungeziefer" bezeichnet. Hunde, Katzen, Kühe, Schweine, Pferde spielen scheinbar eine erfreulichere Rolle im täglichen Leben. Erst bei genauerem Hinsehen zeigt sich, dass Insekten in der Natur andere wichtige Aufgaben erfüllen.

Zwei Beispiele dazu:

1. Nach dem Zweiten Weltkrieg begann man in Australien in grossem Ausmass Rinder zu züchten. Schon bald breitete sich eine Fliegenplage aus. Der Grund: Es gab keine einheimischen Käfer, die sich von diesen Kuhfladen ernährten und sie abbauten. Einige Fliegenarten aber vermehrten sich ausgezeichnet in diesen Brutstätten. Erst nachdem die Zusammenhänge studiert und mehrere „Kuhfladenfresser" (Käfer) angesiedelt worden waren, konnte die geplagte Bevölkerung aufatmen. (15)
2. Viele Insekten, vor allem die Bienen, leben in wechselseitiger Beziehung zu den Blütenpflanzen. Auf der Nahrungssuche nach Nektar und Pollen bestäuben die Insekten die Blüten, so dass die Pflanzen Samen bilden und sich vermehren können.
   Von dieser engen Bindung profitiert der Mensch: Er erntet Beeren, Früchte und Samen der Pflanzen sowie den Honig und das Wachs verschiedener Bienen.

1.1 Klassifizierung der Insekten

Die wissenschaftliche Bezeichnung jedes Lebewesens erfolgt nach einem System, das der schwedische Forscher Carl von Linné (1707–1778) vor rund 250 Jahren einführte, um das Tier- und Pflanzenreich übersichtlich zu ordnen.

Anhand äusserer Merkmale werden ähnliche **Arten** zu **Gattungen**, diese dann zu **Familien** und weiter zu **Ordnungen**, **Klasse**, **Stamm** und **Reich** zusammengefasst.

Abb. 3   **Zoologische Stellung der Honigbiene (vereinfachtes Schema)**

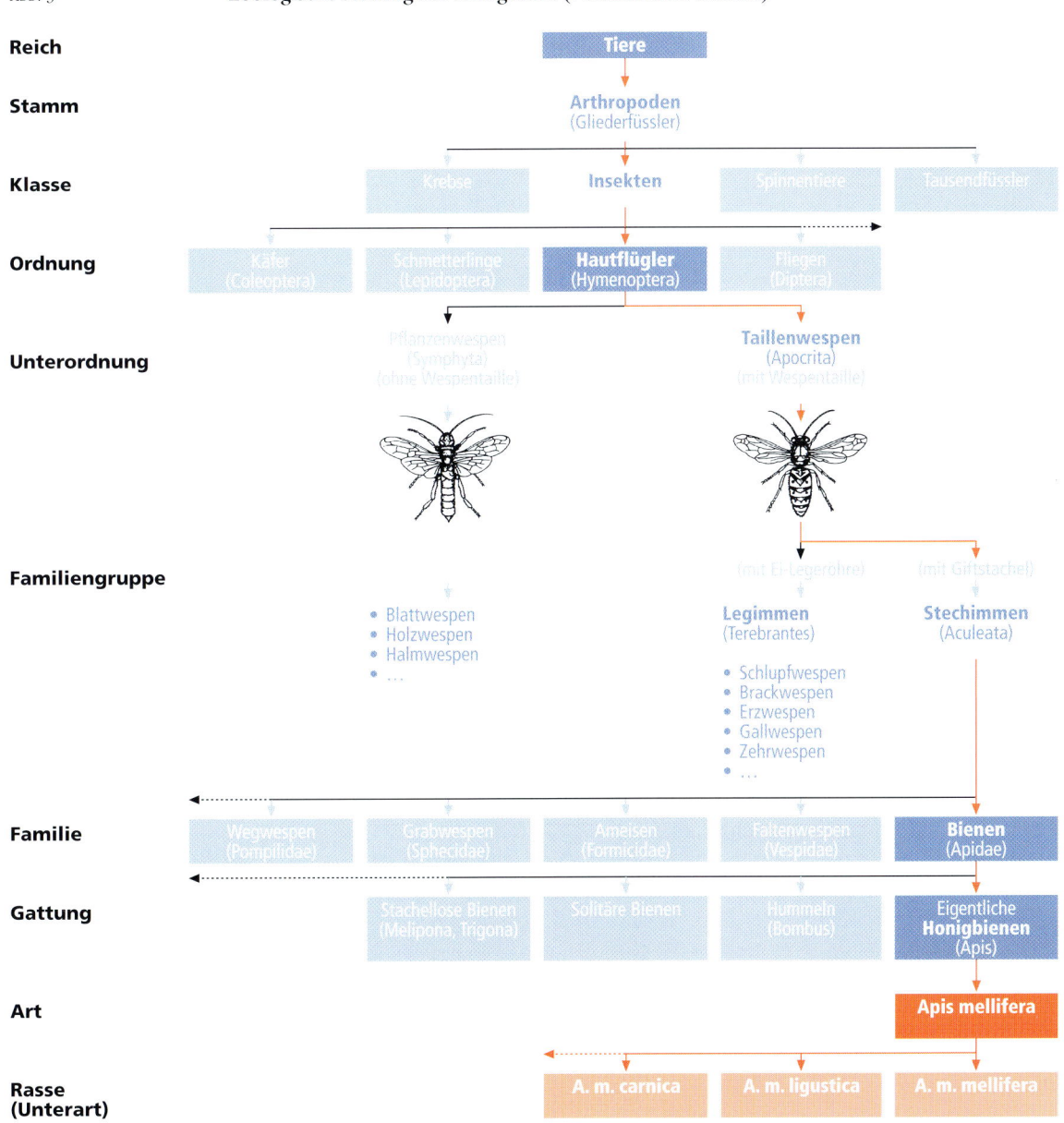

Naturgeschichte der Honigbiene

Wissenschaftliche Benennung am Beispiel der Westlichen Honigbiene

Apis mellifera Linnaeus, 1758

Gattungsname	*Apis*
Artname	*mellifera*
Name des Erstautors	Linnaeus
Jahr der Erstbeschreibung	1758

Zur Bezeichnung der Rasse wird der Artname durch den **Rasse**namen ergänzt:
- *Apis mellifera* **carnica** Pollmann 1879 (**Carnica**-Biene oder Graue Biene)
- *Apis mellifera* **mellifera** Linnaeus 1758 (**Mellifera**-Biene oder Dunkle Europäische Biene)
- *Apis mellifera* **ligustica** Spinola 1806 (**Ligustica**-Biene oder Italienische Biene)

Apis mellifera oder *A. mellifica*?

Der schwedische Naturforscher Carl von Linné gab 1758 der Honigbiene den Namen *Apis mellifera* (die Honig Eintragende). 1761 bemerkte er seinen Irrtum und änderte den Namen auf *Apis mellifica* (die Honig Erzeugende). In der wissenschaftlichen Literatur finden sich daher beide Namen. Aber nur *Apis mellifera* ist korrekt, weil in der Naturwissenschaft der erstgenannte Name verbindlich ist.

1.2 Hautflügler (Hymenoptera)

Die Hautflügler (Hymenoptera) verdanken ihren Namen den vier häutigen, mit wenigen Adern durchzogenen Flügeln. Die Bienen gehören zu dieser Insektenordnung.

Die Hautflügler werden in zwei grosse Unterordnungen aufgeteilt: In Pflanzenwespen (Symphyta) und Taillenwespen (Apocrita). Sie unterscheiden sich in Körperbau und Lebensweise:

Pflanzenwespen (Symphyta)
Pflanzenwespen besitzen keine Verengung zwischen Brust und Hinterleib. Ihre Larven gleichen oft Raupen und fressen Pflanzenteile.

Taillenwespen (Apocrita)
Taillenwespen besitzen eine deutliche Verengung zwischen Brust und Hinterleib (Wespentaille). Die Ernährung der beinlosen, madenförmigen Larven ist sehr unterschiedlich: Die Larven der Bienen und Honigwespen (Masarinae) ernähren sich von Nektar und Pollen, die Larven der Gallwespen von Gallengewebe (das sind durch Insektenstiche hervorgerufene Gewebswucherungen an Pflanzen). Die meisten Larven der Taillenwespen aber nehmen tierische Nahrung auf.

Die Taillenwespen werden weiter unterteilt in Legimmen (Terebrantia) und Stechimmen (Aculeata).

Legimmen (Terebrantia)
Die Weibchen der Legimmen legen ihre Eier mit Hilfe einer Ei-Legeröhre ab. Die grösste Gruppe innerhalb der Legimmen sind die Schlupfwespen. Sie sind fast immer Parasiten anderer Insekten. Mit der Legeröhre stechen die Weibchen Eier, Larven oder Puppen anderer Insekten an und deponieren in oder an diesen ihre eigenen Eier. Während

ihrer Entwicklung frisst die Schlupfwespenlarve Gewebe des Wirtes und tötet diesen dabei. Verschiedene Schlupfwespen werden daher in der biologischen Schädlingsbekämpfung eingesetzt.

Stechimmen (Aculeata)

Die Weibchen der Stechimmen haben an Stelle der Ei-Legeröhre einen Giftstachel. Die Eier werden durch eine Öffnung an der Basis des Giftstachels abgelegt.

Die Stechimmen umfassen mehrere Familien. Die folgenden sind besonders artenreich und für die Menschen bedeutend:
- Bienen (Apidae)
- Faltenwespen (Vespidae)
- Grabwespen (Sphecidae)
- Wegwespen (Pompilidae)
- Ameisen (Formicidae)

Soziale Lebensweise

Die soziale Lebensweise ist eine besondere Eigenschaft mancher Hautflügler. „Staaten" sozial lebender Insekten haben mit menschlichen Staaten nichts gemein. Sie sind eher mit der Lebensgemeinschaft unserer Familien vergleichbar. Neben der Ordnung der Hautflügler haben einzig die Termiten (Isoptera) diese Lebensweise entwickelt.

Die soziale Lebensweise kann unterschiedlich stark ausgeprägt sein:

Nestaggregationen (einfaches Zusammenleben). Zahlreiche Weibchen einer oder mehrerer Arten nisten in enger Nachbarschaft. Jedes Tier baut und betreut aber sein eigenes Nest. In Mitteleuropa ist diese Form des Zusammenlebens recht häufig.

Kommunale Nistweise (Vorstufe zu sozialer Lebensweise). Mehrere Weibchen benutzen einen gemeinsamen Nesteingang. Jedes Tier baut und betreut aber seine eigenen Brutzellen. Die gemeinsame Abwehr von Parasiten oder Räubern dürfte den Nestbesitzerinnen Vorteile bringen. Kommunale Nistweise ist in Mitteleuropa eher selten.

Soziale Lebensweise. Diese Lebensweise finden wir bei allen Ameisenarten, einigen Faltenwespenarten und den „Echten" Bienen (Apidae). Zu den „Echten" Bienen gehören neben den eigentlichen Honigbienen auch die Hummeln und die stachellosen Bienen.

Bei den sozialen Insekten leben mindestens zwei Generationen erwachsener Tiere in einem Nest zusammen und betreiben gemeinsam Brutpflege. Die Nestgemeinschaft teilt sich die Arbeit: Die Königinnen legen Eier, und die sterilen Arbeiterinnen widmen sich allen übrigen Aufgaben.

Abb. 4
Nestaggregation
Hier sind nicht Regenwürmer am Werk, sondern Solitärbienen zu Hause. Einige unbedachte Fussstapfen würden diese Nestaggregation der Sandbiene *Andrena vaga* und der Seidenbiene *Colletes cunicularius* zerstören. Durchmesser der Erdhügel: 2 cm.

2. Bienen (Apidae)

Weltweit wurden bis heute etwa 25 000 verschiedene Bienenarten beschrieben (2). Die meisten leben einzeln (solitär); nur etwa 10% leben sozial wie unsere Honigbiene. Viele Bienen haben zwar einen Namen, über ihre Lebensweise und Funktion in der Natur ist aber meist wenig bekannt.

Bienen sind reine Vegetarier. Sie sammeln Nektar, Pollen (Blütenstaub), Honigtau von Blattläusen und manchmal Pflanzenöle. Für ihre Sammeltätigkeit ist ihr Körper hervorragend ausgerüstet: Ihre Mundwerkzeuge sind zum Saugen von Nektar ausgebildet. Zum Transport des Pollens dienen spezielle Haarbürsten an den Hinterbeinen oder an der Unterseite des Hinterleibes (→ Band „Biologie", S. 17). Es gibt auch Gattungen wie die Maskenbiene *(Hylaeus)*, die Schlucksammler sind. Sie tragen den Pollen im Kropf heim und würgen ihn dort wieder hervor.

2.1 Eigentliche Honigbienen *(Apis)*

Alle Arten der eigentlichen Honigbienen gehören der Gattung *Apis* an. In Südostasien kommen acht verschiedene Arten vor. In Europa und Afrika aber lebt nur eine einzige Art, die Westliche Honigbiene *(Apis mellifera)* (12f).

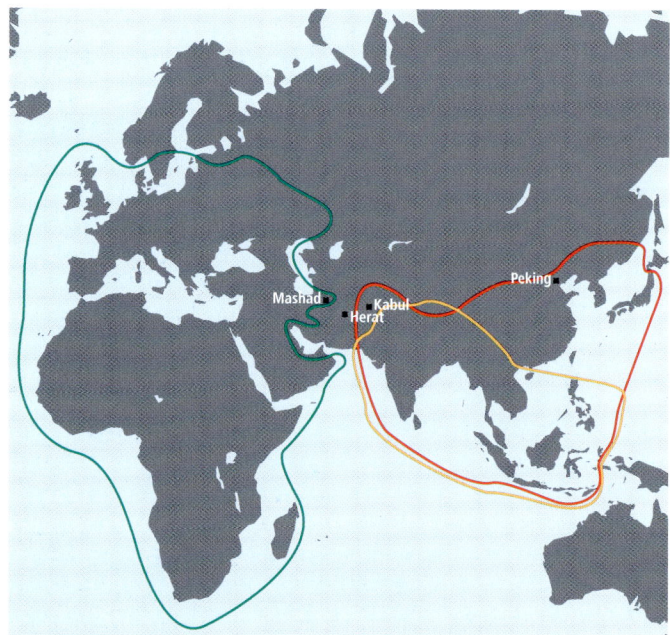

Abb. 5
Verbreitung der Honigbienenarten

Das natürliche Verbreitungsgebiet der Westlichen Honigbiene *(Apis mellifera)* erstreckt sich von Vorderasien über ganz Europa und Afrika. Östlich des Iranischen Hochlandes ist die nah verwandte Östliche Honigbiene *(Apis cerana)* heimisch. In Australien, Neuseeland sowie Nord- und Südamerika sind andere Bienenarten heimisch. In den Tropen spielen die stachellosen Bienen *(Melipona, Trigona)* eine wichtige Rolle.

grün = *Apis mellifera*
rot = *Apis cerana*
orange = Vorkommen der sieben anderen Honigbienenarten (→ S. 20)

2.2 Westliche Honigbiene *(Apis mellifera)*

Europa und Afrika wurden vermutlich erst vor relativ kurzer Zeit (50 000–100 000 Jahre) von einer Art der Honigbienen besiedelt. Diese Westliche Honigbiene *(Apis mellifera)* hat sich in etwa 25 **geografische Rassen** aufgespalten, die besondere Anpassungen an ihre Lebensräume zeigen. Die geografischen Rassen lassen sich aufgrund ihres Aussehens und Verhaltens unterscheiden.

Europäische Rassen der Westlichen Honigbiene
In Europa drängten die Gletscher der letzten Eiszeit (bis vor 12 000 Jahren) die Westliche Honigbiene an die Mittelmeerküste zurück. Die Honigbienen überdauerten diese Zeit in vereinzelten, voneinander isolierten Populationen. Vermutlich entstanden damals regional angepasste Rassen, wie zum Beispiel die *Mellifera*-Biene *(Apis mellifera mellifera)* im südfranzösischen Raum, die Iberische Biene *(A. m. iberica)* auf der Iberischen Halbinsel, die *Ligustica*-Biene *(A. m. ligustica)* in Italien und die *Carnica*-Biene *(A. m. carnica)* auf dem Balkan.

Drei Rassen der Westlichen Honigbiene sind weltweit für die Bienenzucht bedeutend: *Apis mellifera mellifera*, *A. m. carnica* und *A. m. ligustica*. Sie weisen spezifische Eigenschaften auf, die bei der Haltung berücksichtigt werden müssen (→ Band „Königinnenzucht", S. 86 f.).

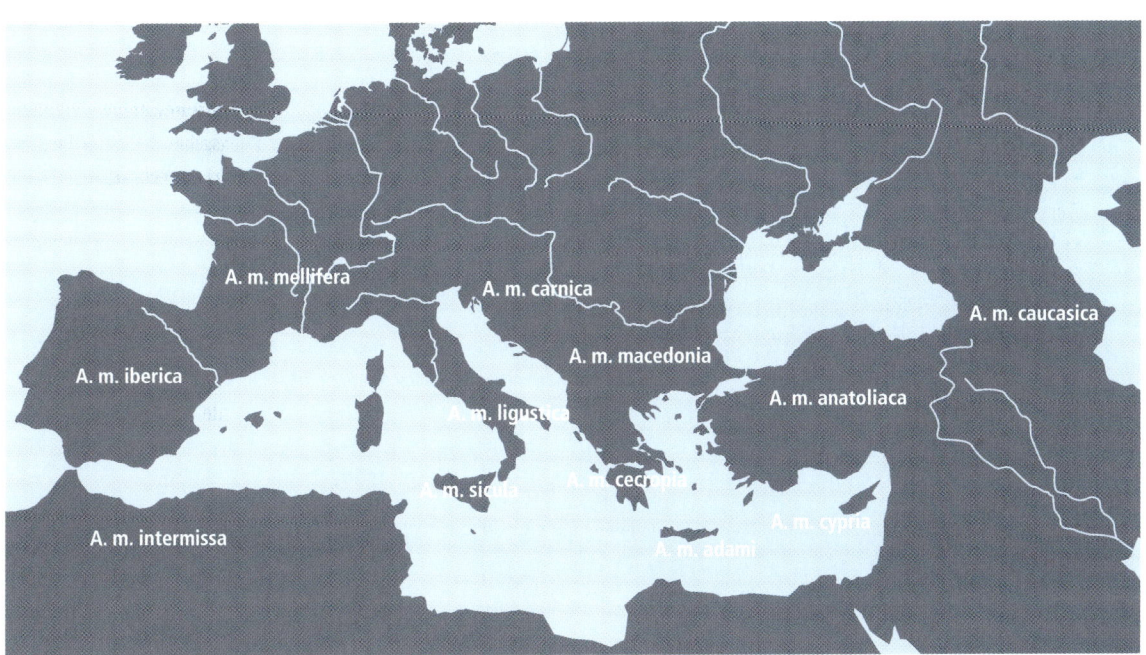

Abb. 6
Natürliche Verbreitung europäischer Rassen
Nach der letzten Eiszeit vor ungefähr 12 000 Jahren begann sich die *Mellifera*-Biene von Südfrankreich aus über Mittel- und Osteuropa bis zum Ural auszubreiten. Den anderen Rassen war der Weg durch Gebirgszüge versperrt.

Apis mellifera mellifera (Mellifera-Biene oder Dunkle Europäische Biene)

Die dunkle *Mellifera*-Biene (auch *Nigra* genannt) ist angepasst an feucht-gemässigtes Klima mit guten Sommertrachten und kalten Wintern. Sie gilt als genügsame und winterharte Rasse. Die Volksentwicklung beginnt langsam und erreicht Ende Juni ihren Höhepunkt. *Mellifera*-Völker sind durchschnittlich kleiner als die der anderen Rassen, da grosse Honig- und Pollenvorräte brutnah eingelagert werden und der Brutaufzucht Grenzen setzen. (12a)

Wie die alte „*Nigra*" verdrängt wurde

Ende des 19. Jahrhunderts propagierten die berühmten deutschen Imker und Bienenforscher Johann Dzierzon und Baron August von Berlepsch sowie der Amerikaner Lorenzo Langstroth den Mobilbau anstelle der damals üblichen Korbbienenhaltung (→ S. 95–100). Dies führte zu einem ungeheuren Aufschwung der Imkerei und einer entsprechenden Nachfrage nach Bienenvölkern. Der Bedarf wurde gedeckt mittels Importen aus Italien (*Ligustica*-Biene) und Österreich (*Carnica*-Biene). Die Begeisterung mancher Imker für das Neue war so gross, dass auch aus weit entfernten Gebieten wie Griechenland, Zypern oder Ägypten Bienen importiert wurden. Da die natürliche Paarung der Honigbienen nicht zu kontrollieren ist, entstand bald ein Rassengemisch. Dieser Faktor wurde verantwortlich gemacht für die zunehmende Stechlust und Schwarmfreudigkeit der Völker sowie für die schwankenden Erträge und die schlechten Überwinterungen. Um die Situation zu verbessern, gründete Ulrich Kramer um 1890 die Schweizerische Rassenzucht, mit dem Ziel, die ursprüngliche *Nigra*-Biene (*Mellifera*-Biene) wieder zu züchten. Kramer machte noch erhaltene *Nigra*-Völker ausfindig und errichtete Schutzgebiete für eine *Nigra*-Reinzucht. *Nigra*-Königinnen wurden in der ersten Hälfte des 20. Jahrhunderts in alle europäischen Länder versandt.

Doch der Erfolg war von kurzer Dauer. Wahrscheinlich auch, weil sich in der Landwirtschaft starke Veränderungen vollzogen. Buchweizen sowie Ackerbegleitflora, die gute Spättrachten geliefert hatten, verschwanden von den Feldern, und die Haupttracht verlagerte sich zunehmend auf den Frühling und Frühsommer. Gute Honigernten konnten vor allem mit Völkern erzielt werden, die sich im Frühjahr schnell entwickelten. Diese Anforderung erfüllte die *Mellifera*-Biene nicht und das Interesse an ihr schwand. Seit ungefähr 1950/60 bevorzugen viele Imkerinnen und Imker die *Carnica*-Rasse.

Die Hauptmerkmale der *Nigra*-Völker, nämlich Genügsamkeit und Selbstbeschränkung, sind Eigenschaften, die heute wieder vermehrt gefragt sind. Deshalb hat das Interesse an dieser Bienenrasse erneut zugenommen. Zahlreiche nationale und internationale Züchter-Organisationen befassen sich gegenwärtig mit der Erhaltung und Auslese der *Mellifera*-Biene. (14)

Bienen (Apidae)

Apis mellifera ligustica (Ligustica-Biene oder Italienische Biene)

Die *Ligustica*-Rasse ist auffallend gelb. Ihre Verbreitung deckt sich fast vollständig mit dem Gebiet Italiens, mit Ausnahme von Sizilien. Dort ist die Sizilianische Biene *(A. m. sicula)* verbreitet (12h). Mitte des 19. Jahrhunderts wurde die *Ligustica*-Biene durch den deutschen Bienenforscher und Pfarrer Johann Dzierzon weltbekannt (→ S. 95). Er war beeindruckt von ihrer grossen Volksstärke, der langen Bruttätigkeit und den daraus resultierenden hohen Erträgen. Ausserdem vereinfachte die *Ligustica*-Biene die Haltung durch ihre Schwarmträgheit, den ruhigen Wabensitz und das sanfte Verhalten. Sie ist eine ideale Rasse für die Magazinimkerei, speziell in Gegenden mit einem warmen, ausgeglichenen Klima und einem grossen Nektarangebot.

Trotz dieser Vorzüge konnte sich die *Ligustica*-Biene nördlich der Alpen nicht durchsetzen. An das hier vorherrschende feucht-gemässigte Klima mit häufigen Kälteeinbrüchen im Frühling ist sie nicht angepasst. Beobachtungen zeigen auch, dass sich *Ligustica*-Bienen leicht verfliegen und sich die Lage einer Futterstelle nur schlecht einprägen können. Sie eignen sich deshalb wenig für die Nutzung einer Waldtracht. (7)

Apis mellifera carnica (Carnica-Biene oder Graue Biene)

Die ursprüngliche Heimat der dezent grau gefärbten *Carnica*-Biene ist der südöstliche Alpenraum, das Donaubecken sowie der nördliche Balkan. Im 20. Jahrhundert fand diese Rasse in ganz Mitteleuropa, aber auch in Nordamerika und Australien weite Verbreitung. (12g) Diesen Siegeszug verdankt sie folgenden Eigenschaften:

– problemlose Überwinterung in kleinen Völkern
– zügige Frühjahrsentwicklung
– gute Nutzung kurzer Trachten
– Anpassung der Volksentwicklung an Vegetation und Klima
– sanftes Temperament
– ruhiger Wabensitz

Eine künstliche Rasse

Der englische Bienenzüchter und Mönch Bruder Adam (1898–1996) wollte ursprünglich eine gegen die Tracheenmilbe *(Acarapis woodi)* resistente Biene züchten. Aus diesem Zuchtziel wurde eine lebenslange Kreuzungs- und Selektionsarbeit. Durch Einkreuzen anderer Bienenrassen in die ursprünglich in England vorkommende *Mellifera*-Biene schuf er eine neue Rasse, die *Buckfast*-Biene (→ Band „Königinnenzucht", S. 93).

Abb. 7
Ligustica-Bienen
Die ersten 2 bis 3 Hinterleibsringe der Arbeiterin und fast der ganze Hinterleib der Königin sind leuchtend goldgelb.

Abb. 8
Buckfast-Bienen
Sie sehen *Ligustica*-Bienen täuschend ähnlich. Die ersten 2 bis 3 Hinterleibsringe sind orangegelb. In *Buckfast*-Völkern kommen aber auch dunkle Bienen vor.

1 Naturgeschichte der Honigbiene

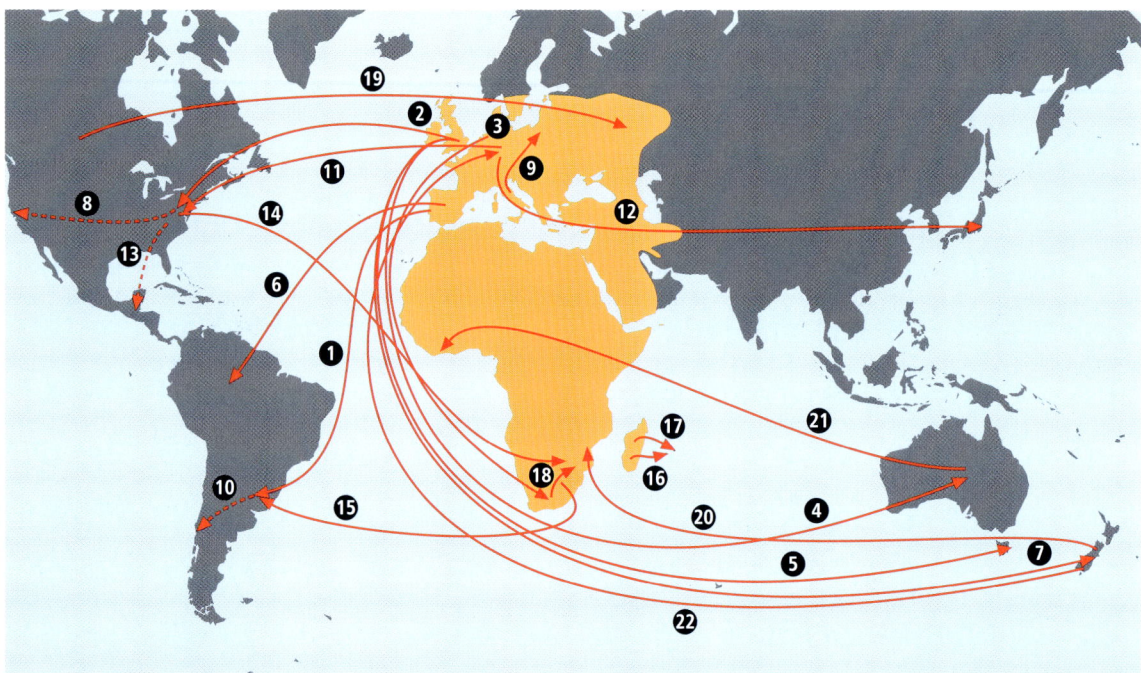

1	Portugal–Brasilien 1530, *iberica*	12	Europa–Japan 1877, *m.*
2	London–New York 1622, *m.*	13	Südstaaten–Yucatan 1911, *m.*
3	Niederlande–Kapstadt 1795, *m.*	14	New York–Pretoria 1930, *m.*
4	London–Australien 1822, *m.*	15	Transvaal–São Paulo 1956, *scutellata*
5	London–Tasmanien 1835, *m.*	16	Madagaskar–Réunion 1960, *unicolor*
6	Spanien–Südamerika 1839, *iberica*	17	Madagaskar–Mauritius 1960, *unicolor*
7	London–Neuseeland 1842, *m.*	18	Kapstadt–Pretoria 1975, *capensis*
8	Ostküste–Westküste 1850, *m.*	19	Nordamerika–Europa 1980, *m.*
9	Italien–Polen 1835, *ligustica*	20	Neuseeland–Simbabwe 1990, *m.*
10	Ostküste–Westküste 1857, *iberica*	21	Australien–Elfenbeinküste 1995, *m.*
11	Deutschland–New York 1859, *ligustica*	22	Neuseeland–Deutschland 1999, *m.*

Abb. 9

Verbreitung der Westlichen Honigbiene durch den Menschen

■ Ursprüngliche Verbreitung der *Apis mellifera*

Die ersten Siedler brachten *Apis mellifera mellifera* oder *A. m. iberica* nach Nord- und Südamerika, Australien, Neuseeland und Tasmanien. Auch andere europäische und afrikanische Rassen der Westlichen Honigbiene wurden in die ganze Welt verbreitet.

Afrikanische Rassen der Westlichen Honigbiene

In Afrika ist die Westliche Honigbiene ganz anderen klimatischen Bedingungen ausgesetzt als in Europa. Nicht Winter und Sommer, sondern Regen- und Trockenzeiten bestimmen die Entwicklung der Völker. Es gibt dort ausserdem zahlreiche natürliche Bienenfeinde wie Ameisen, Honigdachs oder einige Vogelarten, welche die Bienenvölker arg bedrängen können.

Diese Umstände haben die Bienen Afrikas geprägt. Sie legen keine Nahrungsvorräte in grossen Nestern an, sondern bauen kleine Nester und verfüttern einen grossen Teil der Nahrung an die Brut. Ausserdem sind afrikanische Honigbienenrassen sehr schwarmfreudig und neigen dazu, ihre Nester bei Störungen oder schlechten Trachtbedingungen zu verlassen. Dank einer hohen Ei-Legerate (> 3000 Eier/Tag) nimmt die Volksstärke am neuen Ort aber sehr rasch wieder zu. Gegen Räuber verteidigen sie ihre Nester vehement.

Apis mellifera scutellata (Südostafrikanische Hochlandbiene)

Die *Scutellata*-Rasse, eine kleine, gelbe Tropenbiene, ist in der Savanne des südöstlichen Afrika heimisch. 1956 wurde sie nach Brasilien exportiert und auf dem südamerikanischen Kontinent als „Afrikanisierte Biene" oder „Killerbiene" unrühmlich bekannt.

„Afrikanisierte Biene"

In den tropischen und subtropischen Zonen wie z. B. Brasilien entwickeln sich die eingeführten europäischen Rassen der Westlichen Honigbiene schlecht. In diesen Klimazonen bestimmen die Regenzeiten das Pollen- und Nektarangebot und nicht der saisonale Wechsel von Sommer und Winter. Selbst die Wärme liebende *Ligustica*-Biene bringt nur wenig Honigertrag ein. In der Absicht, eine an das dortige Klima angepasste Honigbienenrasse zu züchten, brachte 1956 ein Genetiker etwa 50 Königinnen der Rasse *Apis mellifera scutellata* aus Südostafrika nach Brasilien (→ Abb. 9). Im Jahr darauf entwichen einige seiner Völker, breiteten sich rasch aus und verdrängten die importierten europäischen Rassen zusehends.

Einige Gründe für die erfolgreiche Ausbreitung der Afrikanisierten Biene sind:
– Sie bilden dichte Populationen mit vielen kleinen Völkern an Nistplätzen, die von den europäischen Rassen nicht besiedelt werden.
– Sie sammeln am Morgen bereits früher und am Abend länger als europäische Rassen.
– Schwärme Afrikanisierter Bienen dringen in die Völker europäischer Rassen ein, töten dort die Königin und bilden in Kürze neue Völker.
– Sie scheinen gegenüber der Varroamilbe *(Varroa destructor,* Japan/Thailand-Typ*)* weitgehend tolerant zu sein.

Mit einer Geschwindigkeit von 300 bis 500 km pro Jahr drang die Afrikanisierte Biene sowohl gegen Süden als auch gegen Norden vor. 1981 besiedelte sie bereits alle tropischen Gebiete Südamerikas und erreichte 1990 die Südstaaten der USA. Ihrer Ausbreitung südwärts nach Argentinien, westwärts nach Chile und weiter nordwärts in den USA scheinen klimatische Schranken gesetzt.

Die Afrikanisierte Biene ist leicht erregbar und startet heftige, lange andauernde Massenattacken auf alles, was sich in ihrer Nähe bewegt. Wegen der vielen unangenehmen Eigenschaften der Afrikanisierten Bienenvölker war in den betroffenen Ländern lange keine ertragreiche Bienenhaltung möglich. Heute zeigt sich ein anderes Bild: Die Aggressivität der Bienen nahm ab, und die Imker haben gelernt, mit dieser Rasse umzugehen. Brasilien und Mexiko gehören heute zu den grössten Honigexporteuren der Welt.

Afrikanische oder Afrikanisierte Biene?

Untersuchungen zeigen, dass die Afrikanisierten Bienen Südamerikas auch nach über 40 Jahren ihren *Scutellata*-Vorfahren in Südostafrika sehr ähnlich sind. Kreuzungen von afrikanischen und europäischen Rassen sind weitaus seltener als angenommen. Trotzdem wird der Name „Afrikanisierte Biene" beibehalten, um die „afrikanisierte" Biene in Amerika von der „afrikanischen" in ihrem angestammten Verbreitungsgebiet zu unterscheiden.

Apis mellifera capensis (Kap-Biene)

Diese sanftmütige und schwarmträge Biene ist an der südlichsten Spitze Afrikas beheimatet.

Einige biologische Besonderheiten zeichnen diese afrikanische Honigbienenrasse aus:

- Die Entwicklungszeit der Arbeiterinnen dauert nur 9,6 Tage (12 Tage bei anderen *Mellifera*-Rassen).
- Bei Verlust der Königin entwickeln sich Arbeiterinnen schon nach wenigen Tagen zu „Pseudoköniginnen", die Eier legen.
- Die „Pseudoköniginnen" von Kap-Bienen besitzen vergrösserte Eierstöcke mit 10–15 Eischläuchen (180 bei vollwertigen Königinnen) und eine Samenblase.
- Diese ist zwar leer und nur halb so gross wie jene einer Königin, doch die unbefruchteten Eier der Pseudoköniginnen entwickeln sich zu Arbeiterinnen und nicht zu Drohnen wie die unbefruchteten Eier anderer Rassen der Westlichen Honigbiene (→ Band „Biologie", S. 40, 111). Das Volk kann sogar vollwertige Königinnen aus dieser Brut aufziehen. (12b)

Der Handel und die Wanderung mit *Capensis*- und *Scutellata*-Völkern ausserhalb ihrer angestammten Verbreitungsgebiete bescherte der südafrikanischen Imkerei vorübergehend grossen Schaden. Die *Capensis*-Pseudoköniginnen dringen nämlich gerne in *Scutellata*-Bienenvölker ein. Mit Hilfe eines Duftstoffes (Pheromon) verdrängen sie die angestammten Königinnen und werden von den Arbeiterinnen als neue Königinnen akzeptiert. In Folge der niedrigen Eilegerate der Pseudoköniginnen gehen diese Völker dann aber bald zugrunde. Die Völkerverluste waren enorm. Erst ein Wanderverbot für *Capensis*-Völker sowie eine strikte Gebietstrennung schufen Abhilfe. (4)

Abb. 10
***Capensis*-Pseudokönigin**

In einem weisellosen *Carnica*-Versuchsvolk wurde die zugesetzte *Capensis*-Arbeitsbiene schnell zur „Pseudokönigin". Die *Carnica*-Bienen bildeten um sie herum einen Hofstaat, als wäre sie eine normale Königin.

2.3 Östliche Honigbiene *(Apis cerana)*

Die Östliche Honigbiene *(Apis cerana)* kommt sowohl im tropischen als auch im subtropischen und gemässigten Asien vor (→ Abb. 5). Besonders in Japan und China hat die Imkerei mit dieser Biene eine ebenso alte Tradition wie jene mit der Westlichen Honigbiene im europäisch-afrikanischen Raum. Aufgrund ihrer Sanftmut und der natürlichen Toleranz gegenüber der Varroamilbe ist die Östliche Honigbiene einfach zu halten. Allerdings sind besonders die tropischen Rassen sehr schwarmfreudig und neigen dazu, bei Störungen oder schlechten Trachtbedingungen das Nest ganz zu verlassen (vgl. Afrikanische Rassen der Westlichen Honigbiene, S. 16). Vor einigen Jahren wurden ausserdem die Völker von *Apis cerana* von einer Seuche heimgesucht. Lokal vernichtete das „Thailändische Sackbrutvirus" bis zu 90% aller Völker. Vermutlich könnte eine gezielte Zucht von virustoleranten *Cerana*-Völkern die Situation verbessern.

Die Volksgrösse, das Nestvolumen und der Honigertrag sind jedoch bei *Apis cerana* deutlich geringer als bei *A. mellifera*.

Apis cerana sammelt in einem relativ engen Umkreis von 500 Metern. Auch bei landwirtschaftlichen Massentrachten kann der Imker nur wenige Kilos Honig ernten. Es erstaunt deshalb nicht, dass *Apis mellifera* auch in Asien eingeführt wurde, um den Ertrag zu steigern. Allerdings fehlen der einheimischen Bevölkerung die Kenntnisse über das Imkern mit der Westlichen Honigbiene, im Speziellen deren Behandlung gegen die Varroamilbe. Ausserdem benötigt die Westliche Honigbiene grössere Bienenkästen als die Östliche Honigbiene, was die finanziellen wie materiellen Mittel oft übersteigt. Ein weiteres Problem stellt die Begattung der Bienenköniginnen dar. Da *Apis mellifera* und *A. cerana* nahe verwandt sind, können sich die Drohnen mit Königinnen der anderen Art paaren. Diese Fehlbegattungen ergeben keine Nachkommen und führen zu Unfruchtbarkeit der Königin. (12c)

Abb. 11
***Apis-cerana*-Bienenhaltung**
Diese Trogbeute aus Bambus ist den lokalen Verhältnissen in Nepal angepasst und ist einfach herzustellen.

Naturgeschichte der Honigbiene

2.4 Andere Honigbienen

Neben *Apis mellifera* und *A. cerana* sind bis heute noch drei weitere Honigbienenarten bekannt, die in Höhlen Nester aus mehreren Waben bauen *(A. koschevnikovi, A. nigrocinta, A. nuluensis)*.

Die übrigen vier der insgesamt neun bisher bekannten Honigbienenarten bewohnen eine einzelne, frei hängende Wabe. Sie leben im subtropischen oder tropischen Asien. Da ihre Nester meist schwer zugänglich sind, ist die Ernte von Honig und Wachs oft sehr aufwändig. Sie erfordert vor allem bei *Apis dorsata* und *A. laboriosa* grosse Geschicklichkeit (→ Abb. 84, S. 73).

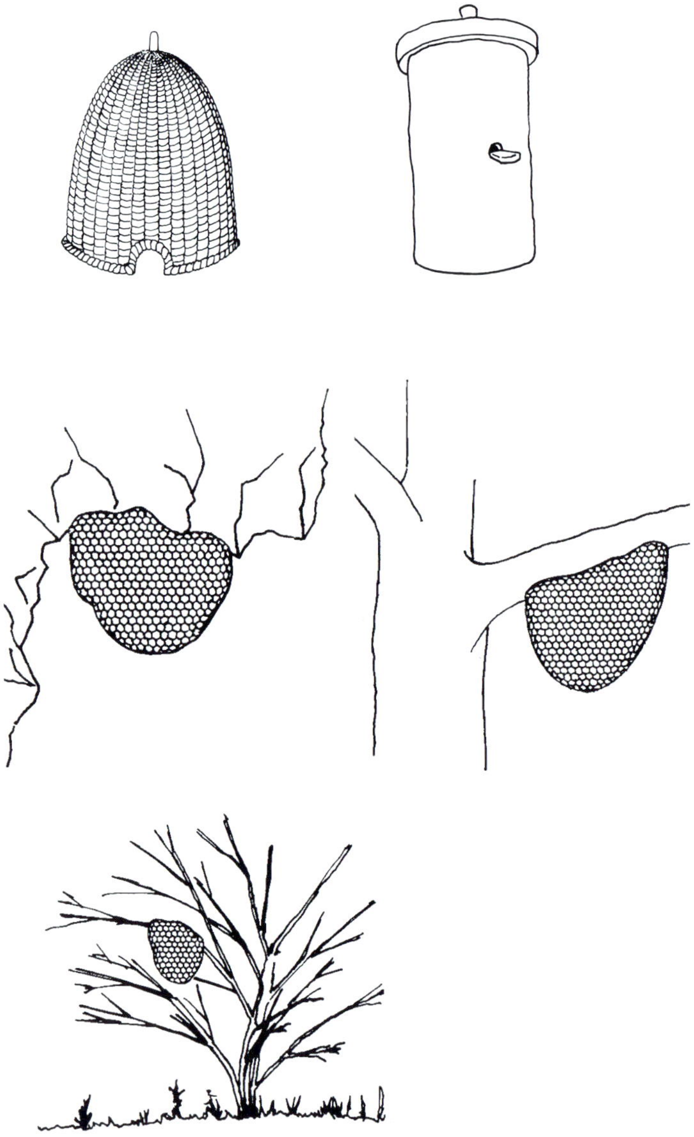

Abb. 12
Honigbienenarten und ihre Nistweisen
(geografische Verbreitung → Abb. 5)

Höhlenbrüter, mehrere Waben:
- *Apis mellifera*
- *Apis cerana*
- *Apis koschevnikovi*
- *Apis nigrocincta*
- *Apis nuluensis*

grosse Einzelwabe, ca. 1,5 m^2:
- *Apis dorsata*
- *Apis laboriosa*

kleine Einzelwabe, einige dm^2:
- *Apis florea*
- *Apis andreniformis*

Bienen (Apidae)

Abb. 13 und 14 (oben)
Brut- und Honigernte in Nepal
Die Riesenhonigbiene *(Apis dorsata)* und die Felsenhonigbiene *(Apis laboriosa)* bauen grosse, frei hängende Einzelwaben. Ein Vorhang aus aufgeketteten Bienen schirmt das ganze Nest ab.

Abb. 15 und 16 (unten)
Brut- und Honigernte in Nordindien
Die Nester der Zwerghonigbiene *(Apis florea)* sind sehr klein und meist gut versteckt im Buschwerk. Ihr Honig erzielt auf den Märkten Höchstpreise.
Am unteren Rand der Wabe sind Drohnen- und Königinnenzellen sichtbar. Am Ast, an dem die Wabe hängt, haben die Bienen „Leimringe" angebracht, um ihr Nest vor Ameisen zu schützen.

2.5 Stachellose Honigbienen *(Melipona, Trigona)*

In den Tropen kommen etwa 500 stachellose Bienenarten vor. Die Ureinwohner Australiens, Afrikas und Amerikas nutzen diese Bienen zur Gewinnung von Wachs und Honig. Besonders hoch entwickelt war die Bienenzucht der Mayas auf Yucatan, Mexiko (→ S. 43). Trotz ihres Namens haben die stachellosen Bienen einen Stachel. Dieser ist jedoch sehr klein und wird zur Verteidigung nicht benutzt. Räubern gegenüber sind sie aber nicht wehrlos: Sie führen Massenattacken, beissen, verspritzen ätzende oder klebrige Sekrete oder kriechen den Störenfrieden in Haare, Ohren und Nase. Einige Arten bauen ausserdem ihre Nester an unzugänglichen Stellen. (12e)

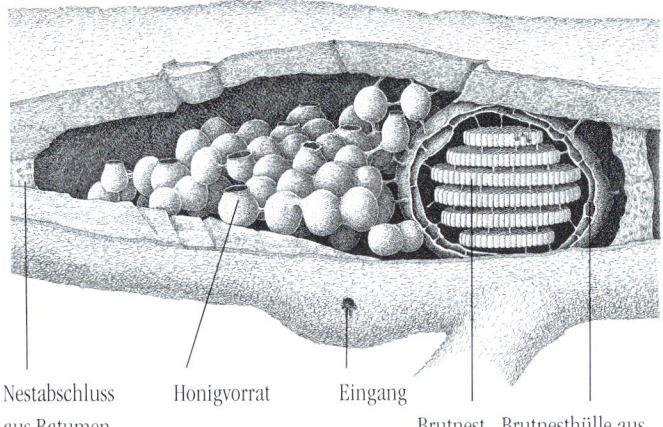

Abb. 17

Nest einer Stachellosen Honigbiene

Melipona interrupta legt ihr Nest in natürlichen Hohlräumen an. Die Waben sind horizontal angelegt, mit den Zellöffnungen nach oben. Das Brutnest vergrössert sich spiralförmig aufwärts. Die stachellosen Honigbienen verwenden beim Nestbau neben Wachs auch Cerumen und Batumen. Cerumen ist mit Baumharzen vermischtes Wachs, dem Batumen wird ausserdem noch Erde beigemischt.

Nestabschluss aus Batumen   Honigvorrat   Eingang   Brutnest   Brutnesthülle aus Cerumen

Abb. 18 und 19

Bienenkasten für Stachellose Honigbienen in Trinidad

Der Kasten aus Holz beherbergt im quadratischen Abteil die Brutwaben, im länglichen die Honigtöpfe. Für die Honigernte werden die einzelnen Honigtöpfchen angestochen und der Kasten umgedreht. Der sehr dünnflüssige Honig wird in einer Schale aufgefangen.

Bienen (Apidae)

2.6 Hummeln *(Bombus)*

Wer kennt sie nicht, diese pelzigen und bunten Blütenbesucher, die gemütlich brummend von Blüte zu Blüte unterwegs sind? Hummeln sind den Honigbienen nahe verwandt. Ihre Funktion in der Natur wurde lange verkannt, weil sie dem Menschen keinen unmittelbaren Nutzen in Form von Honig oder Wachs bringen. Die alten Griechen bezeichneten einen faulen Menschen sogar als „Hummelmenschen".

Artenvielfalt

Weltweit gibt es etwa 350 verschiedene Hummelarten, wovon etwa 31 Arten in der Schweiz vorkommen (9a). Daneben gibt es Fliegen und Schmetterlinge, die wie Hummeln aussehen. Diese Täuschung ist eine „Strategie" der Natur und wird Mimikry genannt. (7a)

Abb. 20
Hummelnest
Auf den ersten Blick sieht ein Hummelnest nicht sehr geordnet aus. Das meist handtellergrosse Nest ist eine unregelmässige Anordnung von Brutzellen, Kokons sowie Vorratsbehältern für Nektar und Honig. Viel Honig wird nicht produziert, da der Vorrat nur zum Überbrücken einiger Schlechtwettertage reichen muss. Im Spätsommer leben bei den stärksten Erdhummelarten etwa 600 Tiere in einem Volk, bei den meisten Arten sind es aber nur etwa 50.

Biologie

Im Volksmund heisst es, dass Hummeln nicht stechen können. Das stimmt nicht. Alle weiblichen Hummeln haben einen gut ausgebildeten Stachel, den sie im Notfall auch einsetzen.

Dank ihres robusten Körperbaus und der starken Behaarung können Hummeln noch bei Temperaturen um den Gefrierpunkt fliegen. Sie sind daher eher in nördlichen und alpinen Regionen verbreitet. Nur 800 km vom geografischen Nordpol entfernt, an der Küste der kanadischen Ellesmere-Insel, sind Hummeln anzutreffen. Sie bestäuben dort während des kurzen arktischen Sommers die Blütenpflanzen. In den Tropen hingegen sind nur wenige Hummelarten vertreten. (5a)

Viele Hummeln haben einen langen Rüssel. Mit diesem erreichen sie auch tief im Blütenkelch liegenden Nektar. Arten mit kurzem Rüssel beissen oft seitlich ein Loch in die Blüte, um so an den Nektar zu gelangen.

Ein bekanntes Beispiel einer Blüte mit langem Kelch ist der Rotklee. Honigbienen vermögen ihn nur ungenügend zu bestäuben. Im 19. Jahrhundert pflanzten Siedler in Neuseeland Klee an. Obwohl die Felder blühten, war der Ertrag an Samen mager. Darauf riet der berühmte englische Naturforscher Charles Darwin, Hummeln nach Neuseeland zu bringen, um die Bestäubung des Klees zu sichern. Seine Empfehlung brachte durchschlagenden Erfolg. (5c)

Hummeln lassen sich nicht so einfach züchten wie Honigbienen. Sie überwintern nicht wie die Honigbienen als Volk. Jedes Hummelvolk wird im Frühjahr von einer überwinternden Königin neu gegründet und wächst erst im Verlauf des Jahres heran. Dank vertiefter Kenntnisse der Hummelbiologie gelang es in den letzten Jahren, Hummelvölker ganzjährig kommerziell zu züchten. Heute werden sie weltweit in Gewächshäusern zur Bestäubung von Tomaten, Erdbeeren, Zucchini und Auberginen eingesetzt.

Nest und Nestbau

Die verschiedenen Hummelarten legen ihre Nester an unterschiedlichen Orten an. Einige bauen oberirdisch in alten Vogelnestern oder Baumhöhlen, andere ebenerdig in der Kraut- und Moosschicht und weitere unterirdisch in verlassenen Mäusenestern oder Hohlräumen. Wie die Honigbienen verwenden auch die Hummeln Wachs als Bausubstanz. (5b)

Schmarotzerhummeln *(Psithyrus)*

Ähnlich wie bei den Vögeln gibt es auch bei den Hummeln „Kuckucke". Von den 31 in der Schweiz lebenden Hummelarten sind zehn Schmarotzerhummeln, deren Weibchen die Aufzucht ihrer Nachkommen einer anderen Hummelart überlassen.

Spät im Frühling, wenn bereits die ersten Arbeiterinnen der geeigneten Wirtsart geschlüpft sind, dringt die Schmarotzerhummel-Königin in das Nest ihres Wirtes ein und tötet oder verdrängt die Wirtskönigin. Die Brut der Schmarotzerhummel wird von den Arbeiterinnen der Wirtsart grossgezogen (Sozialparasitismus) und entwickelt sich ausnahmslos zu Geschlechtstieren; Arbeiterinnen entstehen keine. Ein von Schmarotzerhummeln parasitiertes Nest erholt sich nicht mehr.

Bienen (Apidae)

2.7 Solitärbienen

Solitärbienen bilden keine Staaten, sondern leben einzeln. Solitärbienen und Hummeln werden oft als **Wildbienen** bezeichnet.
Die Schweiz beherbergt eine reiche Palette verschiedener Solitärbienen, vor allem im Wallis und Tessin. Die Grösse und das Aussehen der Solitärbienen sind vielfältig. Von 3–35 mm reicht die Spanne. Sie sind pelzig bis unbehaart. Auch den Farben sind keine Grenzen gesetzt. Nebst schwarzen und braunen kommen auch rote, gelbschwarz bebänderte, weiss gefleckte oder blaugrün schimmernde Bienen vor. (9b)
Während die meisten Staaten bildenden Bienen viele verschiedene Blüten anfliegen (Generalisten), gibt es unter den Solitärbienen einige, die nur Pollen bestimmter Pflanzenfamilien oder -gattungen sammeln (Spezialisten). Aufgrund ihrer Spezialisierung reagieren diese Bienen sensibel auf Veränderungen ihres Lebensraumes. Der Verlust an extensiv bewirtschafteten, blütenreichen Wiesenflächen sowie das Fehlen von Totholz und naturbelassenen, sandigen Stellen für den Nestbau haben in den letzten Jahren zu einem Bestandesrückgang der Solitärbienen geführt. Es werden auch andere mögliche Gründe diskutiert, darunter der Konkurrenzdruck, den Honigbienen auf Solitärbienen ausüben können (2).

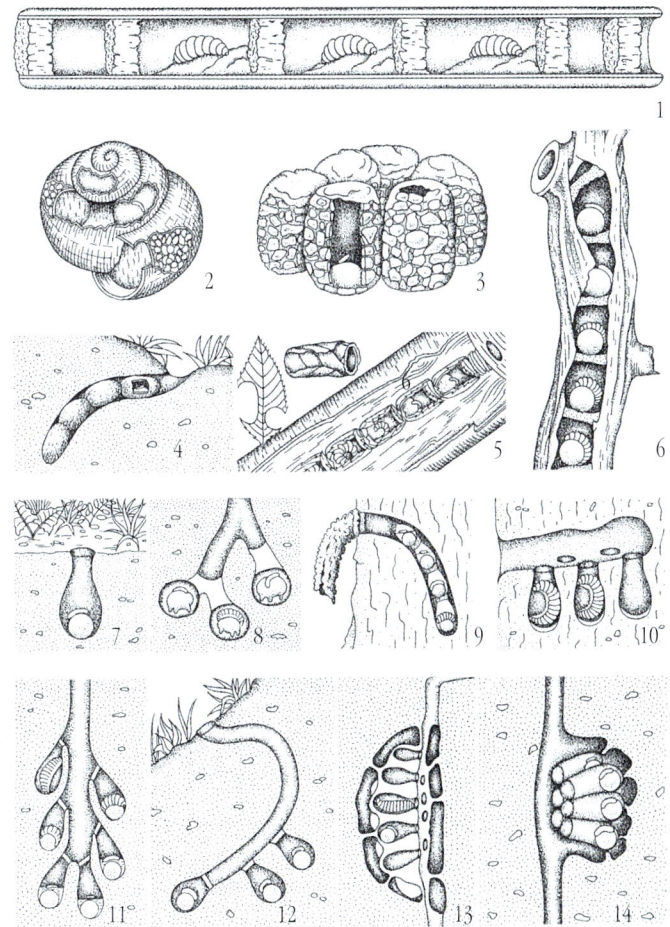

Abb. 21
Nistorte
Die Solitärbienen nisten in verschiedenen natürlichen Hohlräumen (Käferfrassgänge, hohle Pflanzenstengel, Mauer- und Felsspalten, Schneckenhäuser usw.). Manche Arten treiben auch lange Gänge in die Erde und erweitern das Ende zu einer Brutkammer.

1 Rote Mauerbiene *(Osmia rufa)*
2 Zweifarbige Mauerbiene *(Osmia bicolor)*
3 Mörtelbiene *(Megachile muraria)*
4 Wollbiene *(Anthidium punctatum)*
5 Blattschneiderbiene *(Megachile willughbiella)*
6 Blaue Holzbiene *(Xylocopa violacea)*
7 Klatschmohn-Mauerbiene *(Osmia papavoris)*
8 Raufüssige Hosenbiene *(Dasypoda hirtipes)*
9 Wandpelzbiene *(Anthophora parietina)*
10 Pelzbiene *(Anthophora fulvitarsis)*
11 Sandbiene *(Andrena vaga)*
12 Sandbiene *(Andrena labiata)*
13 Furchenbiene *(Halictus quadricinctus)*
14 Furchenbiene *(Lasioglossum malachurum)*

1 Naturgeschichte der Honigbiene

Nistmaterial der Solitärbienen
Abb. 22
Die Blattschneiderbiene *(Megachile willughbiella)* kleidet die Brutzellen mit präzis zugeschnittenen Blattstücken aus.

Abb. 23
Solitärbienen verwenden vielfältiges Nistmaterial. Einige Mauerbienen, wie zum Beispiel *Osmia bicolor*, besiedeln leere Schneckenhäuser.

Bienen (Apidae)

Mit wenig Aufwand lässt sich ein Paradies für wohnungssuchende Solitärbienen schaffen. Dabei lässt sich die „Natur in Aktion" beobachten. Auch die parasitische Lebensweise bestimmter Arten kann manchmal mitverfolgt werden.

Abb. 24
Wildbienen halten
Das Holzgestell mit den Nisthilfen wird an einer regengeschützten, besonnten, nach Südost bis Südwest gerichteten Hauswand aufgestellt.

1. Entrindete, unbehandelte Hartholzstücke von Buchen, Eichen oder Eschen mit 5–10 cm tiefen Löchern (Durchmesser 3–10 mm, im Abstand von mindestens 2 cm)

2. 10–20 cm lange Pflanzenstängel, hohl oder markhaltig, in Kunststoffröhren gebündelt

3. Alte Strangfalzziegel

4. Morsches Holz (soll sich mit dem Fingernagel leicht aufkratzen lassen)

5. Löss oder tonhaltiger Sand in Tonelemente eingefüllt (soll sich mit dem Fingernagel leicht aufkratzen lassen)

3. Wespen

Über 600 Wespenarten sind in der Schweiz heimisch. Alle Wespen gehören wie die Bienen zu den Stechimmen (→ Abb. 3, S. 9). Ähnlich wie bei den Bienen leben die meisten Wespen solitär und führen ein wenig beachtetes Dasein. Es gibt auch soziale und parasitische Arten.

Die Wespen unterscheiden sich von den Bienen in ihrer Ernährung. Die Bienen sind Vegetarier. Wespenlarven aber werden mit Fleisch gefüttert, mit Ausnahme der Honigwespen (Masarinae). Die ausgewachsenen Wespenarbeiterinnen nehmen sowohl tierische als auch pflanzliche Nahrung auf.

Solitäre Wespen nisten in Löchern von Totholz, hohlen Pflanzenstängeln, Erdspalten oder selbst gemauerten Lehmtönnchen. Einige Arten graben Gänge von über einem Meter Länge in Löss und Sand, ähnlich wie einige solitäre Bienen (→ Abb. 21, S. 25). (16)

3.1 Soziale Faltenwespen (Vespinae)

In der Schweiz leben 18 soziale Faltenwespenarten (22). Faltenwespen legen im Ruhezustand die Vorderflügel der Länge nach zusammen, was ihnen zu ihrem Namen verhalf.

Einige soziale Faltenwespen, wie zum Beispiel die Gewöhnliche Wespe, die Deutsche Wespe, die Sächsische Wespe oder die Hornisse, sind recht bekannt, da sich ihre Populationen im Verlauf des Jahres zu beachtlicher Grösse entwickeln können. Sie bauen ihre Nester frei hängend oder in Höhlen. (6a, 11a) Als Baumaterial verwenden sie nicht Wachs, sondern Holzfasern, die sie zu einer Art Papier verarbeiten.

Abb. 25

Nestanlage der Feldwespe

Die Feldwespe *(Polistes)* ist bei uns häufig in Gärten anzutreffen. Sie hat einen eher langsamen Flug und lässt dabei die Beine auffallend nach unten hängen. Ihre Nester sind einige Zentimeter Durchmesser gross, beherbergen höchstens 100 Tiere, befinden sich an geschützten Stellen im Freien oder in Häusern und werden nicht mit einer Hülle versehen. Daher kann das Geschehen im Nest direkt beobachtet werden. Feldwespen werden dem Menschen nicht lästig, im Gegenteil, sie vertilgen Blattläuse.

Abb. 26
Baukunst der Wespen

Sozial lebende Faltenwespen bauen kunstvolle Nester. Die Zellöffnungen zeigen stets nach unten. Als Baumaterial dient eine Art Papier, das die Wespen aus Holzfasern und Speichel mischen. Die Nester schützen die Völker während einer Saison vor Wind und Wetter. Alte Nester werden nicht wiederbesiedelt; einzig das Baumaterial findet manchmal erneut Verwendung.

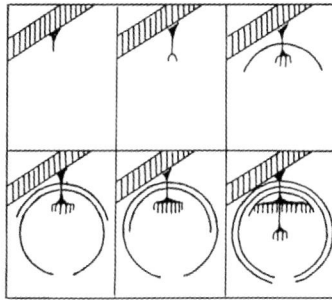
Entwicklungsstadien beim Nestbau

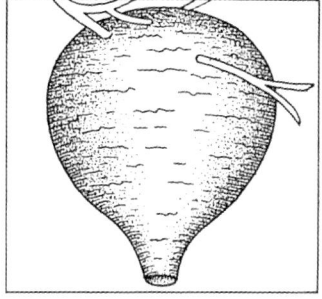
Nest der Mittleren Wespe

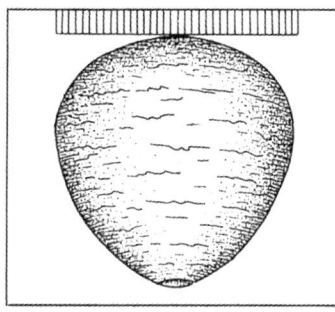
Nest der Sächsischen Wespe

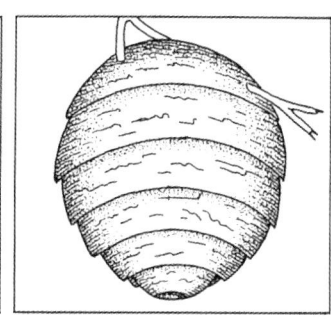
Nest der Waldwespe

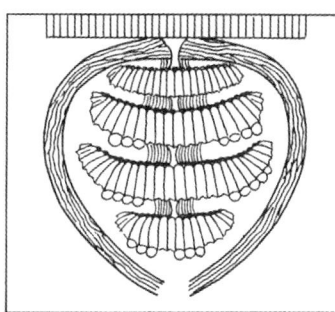
Nestquerschnitt der Sächsischen Wespe

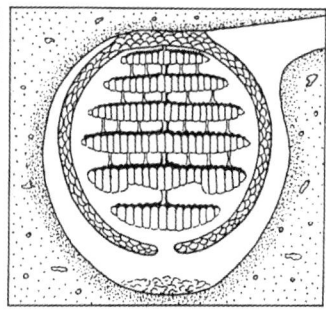
Nestquerschnitt der Deutschen und Gemeinen Wespe

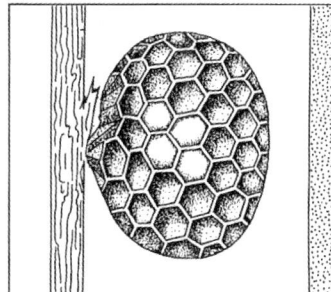
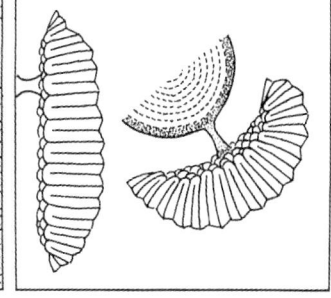
Nest der Feldwespe: Aussenansicht und Wabenquerschnitte

Biologie

Die Nester der sozialen Faltenwespen sind einjährig und werden im Frühling von einer überwinternden Königin neu gegründet. Anfangs muss die Königin alle Arbeiten selbst erledigen: Nahrung suchen, das Nest verteidigen und die Brut wärmen oder kühlen. Später wird sie von den geschlüpften Arbeiterinnen unterstützt. Die Nester entwickeln sich zuerst nur langsam und werden daher im Haus oft erst Ende August bemerkt. Dann stehen die Völker im Höhepunkt ihrer Entwicklung und die Geschlechtstiere schlüpfen. Diese begeben sich auf den Hochzeitsflug und verlassen damit das Nest für immer. Wespen paaren sich auf dem Boden. Die begatteten Königinnen fressen sich ein möglichst gutes Fettpolster an und suchen sich ein geeignetes Überwinterungsquartier. Dafür eignen sich morsche Baumstämme oder hohle Pflanzenstängel. Manche überdauern den Winter unter Laub und Moos.

Im Herbst nimmt die Aktivität im Nest ab und die alte Königin stirbt. Die ersten Fröste versetzen dem Volk den Todesstoss.

Ernährung

Als Räuber spielen Wespen im Kreislauf der Natur eine wichtige Rolle. Die sozial lebenden Wespen verwenden zur Brutaufzucht ausschliesslich tierische Nahrung. Sie verarbeiten das proteinreiche Muskelfleisch von Aas oder erbeuteten Insekten zu Kügelchen, die sie den Larven füttern. Einige solitäre Arten lähmen ihre Beute mit einem Stich; diese dient dann der sich entwickelnden Larve als lebender Futtervorrat. Imker beschuldigen manchmal die Wespen, sie würden die Lauspopulationen auf Weiss- und Rottannen reduzieren und dadurch die Waldtracht schädigen. Das stimmt nicht. Zwar sind die Wespen zwischen den Tannenzweigen zu beobachten, aber sie suchen dort keine Läuse, sondern Honigtau. Die Läuse sind den Wespen zu klein und enthalten kaum Proteine. (8a)

Um die Flugmuskulatur zu betreiben, brauchen die erwachsenen Wespen kohlenhydratreiches Futter. Sie haben aber einen kurzen Saugrüssel und können deshalb Nektar nur von Blüten aufnehmen, die diesen leicht zugänglich anbieten (z. B. Dolden- und Efeugewächse). Beliebte kohlenhydratreiche Futterquellen sind ausserdem Fallobst, Honigtau und Baumsäfte.

Wespen legen keine Nahrungsreserven an. Schlechtwetterperioden überbrücken sie auf ihre eigene Art und Weise: Die Larven sind der lebende Futtervorrat der erwachsenen Tiere. Normalerweise füttern die Arbeiterinnen die Brut. In Krisenzeiten ist es umgekehrt. Die Arbeiterinnen betteln bei den Larven um Futter, worauf die Larven Nahrungströpfchen abgeben. Larven können dabei bis zu 50% ihres Gewichtes verlieren und bewahren so das Volk vor dem Untergang.

Ärger mit Wespen?

Die Gemeine Wespe *(Vespula vulgaris)* und die Deutsche Wespe *(Vespula germanica)* können recht aufdringlich werden, weil sie süsse Speisen und Getränke intensiv anfliegen. Bis zum Herbst wachsen ihre Nester mitunter zu beachtlicher Grösse heran. Bevor jedoch gewaltsam gegen ein solches Nest vorgegangen wird, sollte die Aktion überdacht werden. Diese Wespenarten sind nur während ein paar Wochen und bei Schönwetter aufdringlich.

Wird ein Wespennest als Bedrohung empfunden, so kann es umgesiedelt werden. Wenn die Wespen einen Vogelnistkasten bewohnen, gestaltet sich dies recht einfach. In einer kühlen mondlosen Nacht verschliessen wir das Flugloch, sobald keine Wespen mehr fliegen. Dann wird das Nest an den neuen Standort transportiert, der mindestens einen Kilometer entfernt liegen soll. Dieser soll am Morgen Sonne und am Nachmittag Schatten bieten. (11b)

Abb. 27
Wespenabwehr
Im Bienenhaus können Wespen manchmal zur Plage werden. Fangflaschen können Abhilfe leisten. Dazu wird die obere Hälfte einer Pet-Flasche umgekehrt in die untere Hälfte hineingesteckt.
Auf keinen Fall dürfen die Flaschen eine zuckerhaltige Lösung enthalten, denn diese würde neben den Wespen auch die Bienen anziehen. Als Lockflüssigkeit bewährt haben sich:
1. Bier oder gärender Obstsaft
2. 0,5 Liter Süssmost versetzt mit drei Teelöffeln Essig

Die Lockflüssigkeit muss mit einigen Tropfen Abwaschmittel versetzt werden. Dadurch wird die Wasser abstossende Oberfläche der Wespen benetzt und die Tiere ertrinken sofort.

Hornissen *(Vespa crabro)*

Eine Faltenwespenart mit besonders schlechtem Ruf ist die Hornisse. „Drei Hornissenstiche töten einen Menschen, sieben ein Pferd", sagt eine alte, aber falsche „Volksweisheit". Hornissenstiche sind zwar schmerzhaft, aber keinesfalls gefährlicher als Bienen- oder Wespenstiche (13). Wer eigene Erfahrungen mit Hornissen sammelt, wird erstaunt feststellen, dass Hornissen friedfertig und scheu sind. Vorsicht ist allerdings in der Nähe des Nestes geboten, das naturgemäss verteidigt wird. Die Hornisse ist ein nützlicher Insektenvertilger.

Abb. 28
Ein Hornissennest entsteht
A: Anfangsstadium nach etwa 10 Tagen (Höhe 3 cm)
B: Wenig später mit erster Schutzhülle (Höhe 5 cm)
C: Grosses Nest im Spätsommer, die Schutzhülle wurde teilweise entfernt (Höhe ca. 40 cm)

Hornissennester unterscheiden sich deutlich von anderen Wespennestern: Ihre Nestöffnung ist sehr gross und die Aussenseite ist nicht glatt, sondern besteht aus vielen, nach unten gerichteten, blind endenden Taschen.

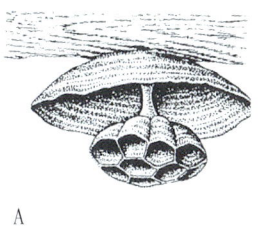
A

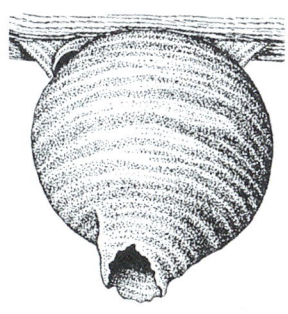
B

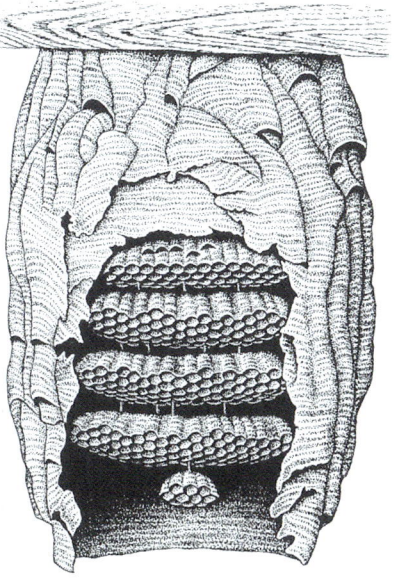
C

1 Naturgeschichte der Honigbiene

Abb. 29
Hornissennest
Diesem Volk wurde der Vogelnistkasten zu klein.
Hornissen werden dem Menschen nicht lästig.
Wir können in Ruhe im Garten essen und trinken und dabei beobachten, wie die Hornissen am nebenstehenden Baum in ihr Nest ein- und ausfliegen.
Es empfiehlt sich aber, unter dem Nest einen Eimer mit Sand aufzustellen, um den flüssigen, stinkenden Kot aufzufangen.
Auch Hornissennester können umgesiedelt werden.
(→ S. 30)

4. Ameisen (Formicidae)

Die Ameisen (Formicidae) sind ebenfalls eine Familie der Hautflügler und gehören wie die Bienen und Wespen zur Gruppe der Stechimmen (→ Abb. 3). Weltweit gibt es etwa 10 000 verschiedene Ameisenarten. Die Termiten (Isoptera) werden zwar manchmal „weisse Ameisen" genannt, sind aber nicht näher mit den Ameisen verwandt. Gemeinsam ist ihnen einzig die soziale Lebensweise.

Alle Ameisen sind sozial, und es gibt keine solitären Arten wie bei den Bienen und Wespen. Die kleinsten Ameisenvölker umfassen nur 10 bis 20 Tiere, die grössten aber 20 bis 30 Millionen. (13)

4.1 Volk im Verborgenen

Die meisten Ameisenarten führen ein verstecktes Leben im Untergrund, und nur eine Minderheit baut grosse, oberirdische Hügelnester wie die Waldameisen. Kaum eine Gegend auf der Erde wird nicht von Ameisen besiedelt. Vor allem in den Tropen sind sie weit verbreitet. Im Amazonasgebiet übertrifft das Gewicht aller Ameisen dasjenige der Wirbeltiere.

Die Vielfalt der Lebensweisen ist erstaunlich. Es gibt Jäger, Aasfresser, Sammler, Pilzzüchter, Tierpfleger, Sklavenhalter, Diebe, Parasiten usw. In der Schweiz gibt es über 130 verschiedene Ameisenarten; etwa ein Viertel davon lebt sozialparasitisch in Nestern anderer Ameisenarten (vgl. Schmarotzerhummel S. 24). (13b) Ameisen werden vom Menschen meist als lästig empfunden. Gefürchtet ist vor allem die Pharaoameise *(Monomorium pharaonis),* eine aus südlichen Ländern eingeführte, sehr kleine Art, die in Wohnungen Nahrungsvorräte befällt und in Spitälern die Hygiene gefährden kann. Manchmal treten plötzlich unzählige **geflügelte Ameisen** auf. Das sind die Männchen und zukünftigen Königinnen auf ihrem Hochzeitsflug. Nach der Begattung sterben die Männchen, die Weibchen verlieren ihre Flügel und versuchen, neue Kolonien zu gründen. Geflügelte Ameisen befallen keine Lebensmittel, und der Spuk ist schon nach einem Tag vorbei.

Obwohl allgegenwärtig, spielen Ameisen als Bestäuber von Pflanzen keine Rolle. Sie verbreiten hingegen Pflanzensamen von Veilchen, Schöllkraut, Lerchensporn und Buschwindröschen.

Eine erstaunliche Beziehung pflegen einige Ameisenarten zu Schmetterlingen aus der Familie der Bläulinge (Lycaenidae). Trotz des gewaltigen Grössenunterschiedes tragen die Ameisenarbeiterinnen die Raupen der Schmetterlinge in ihre Nester, um sie dort zu hegen und zu pflegen. Obwohl die Raupen Ameisenbrut fressen, werden sie nicht angegriffen. Das süsse Drüsensekret, das die Raupen absondern, nehmen die Ameisen begierig auf. Nach einem Jahr verpuppt sich die Raupe im Ameisennest und verlässt dieses später als ausgewachsener Schmetterling.

Abb. 30
Seltsame Partnerschaft
Wer denkt schon, dass dieser schöne Schmetterling (Bläuling, *Lycaeides ideas*) den Ameisen sein Leben zu verdanken hat? Verschwindet die Wirtsameise, so ist es auch um die Existenz dieses Bläulings geschehen. Die Raupe wird nicht als Beute ins Nest getragen, sondern dort gehegt und gepflegt.

4.2 Ameisen am falschen Ort

Bienenhäuser bieten den Ameisen optimale Lebensbedingungen. Oft nisten sie zwischen den Bienenkästen oder legen eine Spur vom Wabenschrank zu einem unterirdischen Ameisennest. Im Bienenhaus lassen sie sich nur sehr schwer bekämpfen. Viele Arten haben ausserdem mehrere Königinnen und können sich daher von einem Rückschlag gut erholen.

Abb. 31
Schutz vor Ameisen
Wer sein Bienenhaus oder seinen Wanderstand auf Ameisensockel stellt und die vorgesehenen Rinnen mit Paraffinöl (kein Altöl) auffüllt, wird kaum Sorgen mit Ameisen haben. Oft lassen sich die ungebetenen Gäste auch mit Zimt oder Nelkenöl vertreiben.

4.3 Fleissige Waldarbeiterinnen

Im 19. Jahrhundert wurden in Mitteleuropa ausgedehnte Monokulturen von Fichten angelegt. Bald schon hatten Insekten grosse Flächen kahl gefressen, ausgenommen so genannte „grüne Inseln". Meist befand sich dort ein gut entwickeltes Waldameisennest, und die fleissig jagenden Waldameisen schützten die Bäume vor übermässigem Frass.

Waldameisenschutz

Im Ökosystem Wald erfüllen die Waldameisen eine wichtige Aufgabe. Es ist daher verständlich, wenn naturverbundene Menschen diese wertvollen Waldbewohner schützen oder sogar vermehren wollen. Mancher Versuch, ein gefährdetes Nest an einen neuen Standort umzusiedeln, ist jedoch schon gescheitert. Denn häufig begeben sich die Waldameisen kurz nach dem Umzug auf Wanderschaft, und das Volk geht zugrunde. Es wird abgeraten, Ameisennester mit künstlichen Gittern zu schützen. Sie können jedoch während des Winters mit Tannenästen abgedeckt werden. Bevor im Frühjahr im Ameisennest neue Aktivität ausbricht, gilt es aber, die Äste wieder zu entfernen. Die Waldameise ist in der Schweiz geschützt. Jeder Eingriff bedarf einer Bewilligung der Naturschutzbehörde.

Waldameisen und Honigtau

Vor Jahren wurde der folgende Spruch zum Auffinden guter Waldhonigstandorte geprägt: „Wanderimker, wollt ihr wertvollen Waldhonig? Wandert an warme, windstille Waldränder! Wassernähe und Waldameisen sind wichtige Wegweiser!"
Langjährige Untersuchungen in Deutschland zeigten hingegen, dass Waldameisennester keinen Einfluss auf die Ernte von Waldhonig haben (8b). Wichtige Einflussfaktoren hingegen sind das Wetter sowie der Standort und Ernährungszustand des Wirtsbaumes.

Abb. 32
Nest der Waldameisen
In der Schweiz leben sieben Arten. Sie legen auffällige Hügelnester im Wald und manchmal auch auf der offenen Wiese an.

5. Was kreucht und fleucht ums Bienenhaus?

Durch die zunehmende Verbauung der Natur, die intensivierte Landwirtschaft oder einen übertriebenen Ordnungssinn ging den Tieren und Pflanzen viel Lebensraum verloren. Der „Englische Rasen" ist ein typisches Beispiel einer naturfremden, artenarmen Landschaftsgestaltung. Etwas Wildwuchs und naturbelassene Flächen rund ums Bienenhaus sind daher zu begrüssen.

Im und ums Bienenhaus zeigt sich dem aufmerksamen Beobachter eine Reihe von Kleinlebewesen. Darunter sind keineswegs alles „Schädlinge".

5.1 Löwen unter dem Bienenhaus

Viele Imker betrachten den Boden unter dem Bienenhaus als öd und leblos; er dient daher meist als „Gerümpelkammer". Doch der Schein trügt! An solch trockenen, sandigen und vor Regen geschützten Stellen hat es oft trichterförmige Vertiefungen von einigen Zentimetern Durchmesser. Diese Sandtrichter sind das Versteck und die heimtückische Falle eines Insekts, des **Ameisenlöwen** (3).

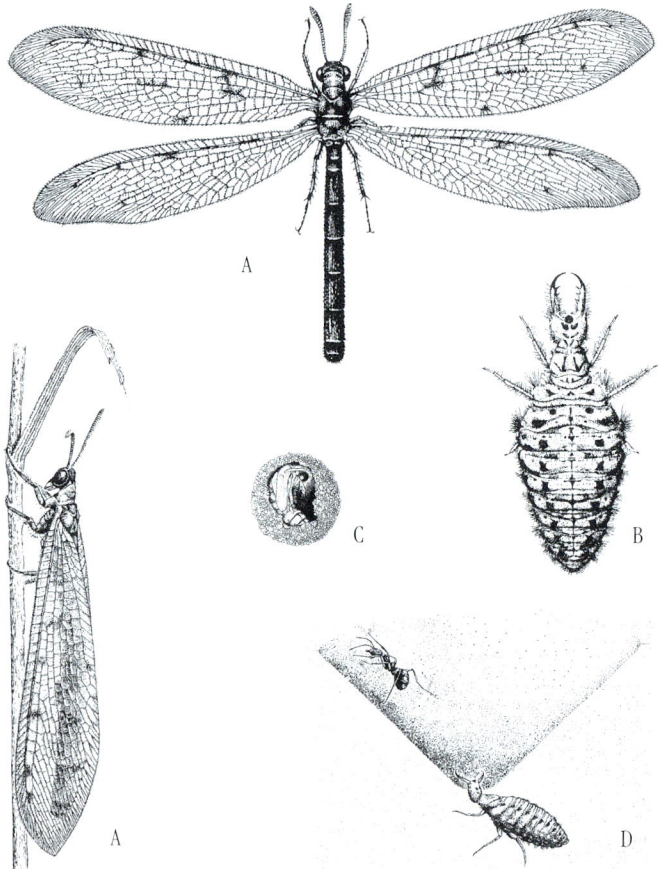

Abb. 33
Ameisenlöwe
Im Sand des Trichtergrundes versteckt lauert der Ameisenlöwe (B) auf seine Beute. Wenn das Opfer, meist eine Ameise, in den Trichter fällt, gibt es kaum ein Entrinnen (D). Der Ameisenlöwe schleudert gezielt Sand in die Höhe, damit die Ameise immer wieder in den Trichter zurückrutscht. Nun packt er seine Beute mit den mächtigen Zangen, spritzt ein Nervengift in sie hinein und lähmt sie. Wenig später injiziert er einen Verdauungssaft und saugt die Beute dann aus.
Nach zwei Jahren verpuppt sich der Ameisenlöwe (C), und es schlüpft das geschlechtsreife und geflügelte Tier, auch Ameisenjungfer genannt (A). Dieses nimmt keine Nahrung mehr auf. Nach der Fortpflanzung sterben die Tiere.

Was kreucht und fleucht ums Bienenhaus?

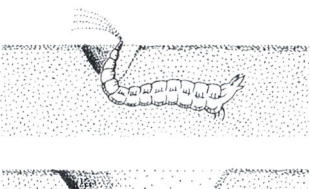
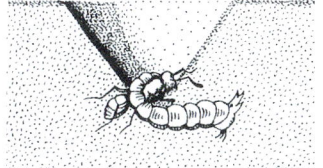
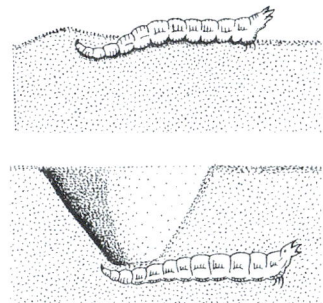

Abb. 34
Wurmlöwe
Nicht nur der Ameisenlöwe, sondern auch die Larve des Wurmlöwen gräbt im Sand Trichterfallen. Dieses weisse Würmchen von 5–20 mm Länge ist im Wallis und Tessin recht häufig. Die Larve entwickelt sich zu einem unscheinbaren geflügelten Insekt, einer Fliege (Diptera).

5.2 Spinnen

Pfui, Spinne! Viele Menschen haben gegenüber Spinnen Vorurteile. Zu Unrecht, denn diese Tiere regulieren als Räuber die Insektengemeinschaft. Rund ums Bienenhaus ist die Funktion der Spinnen nicht zu unterschätzen. Sie erbeuten Wachsmotten und andere unerwünschte Insekten, doch soll nicht verschwiegen werden, dass sie auch Bienen schmackhaft finden. Ungefähr die Hälfte der über 900 in der Schweiz vorkommenden Spinnenarten (ca. 38 000 weltweit) baut ein Netz zum Beutefang; alle anderen Arten sind Lauerjäger oder pirschen sich an ihre Beute heran. Unter den Netzbauern konstruiert nur etwa ein Fünftel die bekannten Radnetze, die übrigen fertigen Netze nach unterschiedlichsten Bauplänen an. (1)

Abb. 35
Krabbenspinnen
Auf Blüten lauert oft die Krabbenspinne *(Thomisus onustus)* auf ihr Opfer. Sie kann ihre Farbe dem Untergrund anpassen und ist deshalb nur schwer zu sehen. Diese Spinnen stellen keine ernsthafte Bedrohung für die Honigbienen dar. Leben und leben lassen ist auch hier die beste Einstellung.

1 Naturgeschichte der Honigbiene

Wildbienen, Spinnen, Ameisenlöwen und viele andere Kleinlebewesen bereichern unsere Umwelt und verdienen unsere Aufmerksamkeit. Imkerinnen und Imker können ihren Beitrag zur Erhaltung der Lebensräume leisten, indem sie um ihre Bienenhäuser Naturgärten schaffen. (6, 10)

Abb. 36
Naturgarten
Hier ist für das Wohl der Bienen ebenso gesorgt wie für die menschlichen Sinne.

2 Kulturgeschichte der Honigbiene

Die Fülle der prähistorischen, mythologischen, religiösen, kulturellen und geschichtlichen Spuren der Bienen und ihrer Erzeugnisse ist unermesslich. Im Folgenden wird Einblick gewährt in das „Meer" kulturgeschichtlicher Zeugnisse. Die Menschen empfanden die Honigbiene stets als Krönung der Schöpfung und ihr Summen als Loblied der Natur.

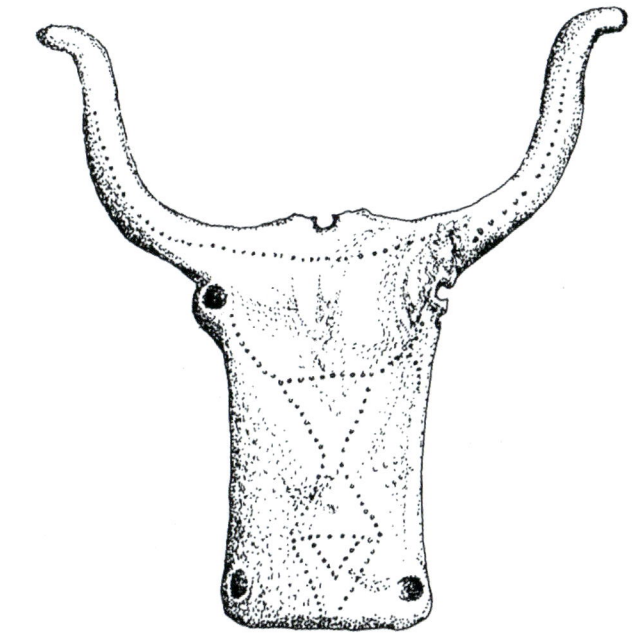

Abb. 37
Bienengöttin
Diese Knochenschnitzerei entstand um 4000 v. Chr. und wurde in Bilcze Zlote, Ukraine, gefunden. Auf dem geschnitzten Stierkopf ist – stark stilisiert – eine Bienengottheit eingeritzt. Ähnliche Darstellungen sind auch aus der minoischen Kultur Kretas und Griechenlands bekannt. Fruchtbarkeitsgöttinnen erschienen den frühen Menschen als Biene, als Mond, Stier oder Hund (→ Abb. 40). (31)

Abb. 38
Goldener Anhänger für eine Halskette
Das Schmuckstück aus der antiken Begräbnisstätte von Malia auf Kreta wurde um 2000 v. Chr. geschaffen. Zwei Bienen tragen behutsam eine kreisrunde Honigwabe – als wäre es ein Edelstein. Die künstlerisch umgesetzte Geste zeigt die hohe Wertschätzung, welche die Menschen damals dem Honig und den Bienen entgegenbrachten.

1. Mythen und Symbolik

Matthias Lehnherr

In den Mythen vieler Völker spielten die Insekten eine wesentliche Rolle. Sie waren Botschafterinnen zwischen Himmel, Erde und Unterwelt und hatten für den Menschen Vorbildcharakter. Zum Beispiel galten Spinne und Gottesanbeterin in Afrika sowie der Mistkäfer (Skarabäus) in Griechenland und in Ägypten als Verkörperungen der Weltschöpfer, oder sie wurden als Vorfahren der Menschen verehrt.

Abb. 39
Vorbildhafte Entwicklung
Die Zeichnung zeigt den Kleinen Fuchs in den drei Entwicklungsstadien Raupe, Puppe und Falter auf der Brennnessel, der Futterpflanze der Raupe. Die Metamorphose, die Verwandlung der Raupe zur Puppe und schliesslich zum ausgewachsenen Insekt, war für alle Völker der Erde bedeutungsvoll. Die Larve (Made oder Raupe) symbolisiert das Leben auf Erden sowie den sich formenden Geist. Die Puppe verkörpert den irdischen Tod und das Zusammenführen aller Seelenkräfte. Das plötzliche Aufbrechen der Puppenhaut und das Erscheinen des völlig neu gestalteten Insektes ist Sinnbild der Bewusstwerdung und Wiedergeburt der menschlichen Seele. (56a)

Mythische Welten

Es fällt oft schwer, Mythen zu verstehen. Sie lassen sich nicht in das heutige Zeitverständnis von Vergangenheit, Gegenwart und Zukunft einordnen. Mythen sind nicht im naturwissenschaftlichen Sinne wahr, und das von ihnen vermittelte Weltbild ist mit einer rational-logischen Denkweise nicht zu fassen:
- Erde und Sterne, Wolken, Wind, Blitz, Donner und Tiere verkörperten für die Menschen Göttinnen oder Götter.
- Naturerscheinungen waren den Menschen Ratgeber und Führer.
- Das ganze Leben wurde durch die immer wiederkehrenden Jahreszyklen und die vorherrschenden kosmischen Kräfte, die Sternbilder, geregelt.

Heute werden die Mythen, ähnlich wie Traumbilder, als zeitlose Seelenbilder des menschlichen Lebens verstanden. (21)

1.1 Honig – Geschenk des Himmels

Der Honigbiene kommt in manchen Mythen besondere Bedeutung zu.

Honig und Wachs waren für die frühen Völker vollkommene und unübertreffliche „Geschenke der Götter". Als Opfergaben durften sie an keiner religiösen Feier fehlen. Die Überbringerin dieser Himmelsgaben, die Biene, galt als „Gesandte Gottes". Religiöse Rituale begleiteten deshalb jede imkerliche Arbeit.

Ägyptische Mythen

Die folgende Legende ist Teil eines ägyptischen Weltschöpfungsmythos aus dem 4. Jahrhundert v. Chr.:

„Bei einem furchtbaren Unheil, das über die Erde kam, weinten Götter, Menschen und Tiere. Auch der Sonnengott Re weinte. Tränen flossen von seinem Auge zur Erde. Sie verwandelten sich in Bienen. Durch das Werk der Bienen entstanden Blumen und Bäume. Das ist der Ursprung des Wachses und des Honigs aus den Tränen des Gottes Re." (18w)

Nordische Mythen

Der Lebensbaum oder die Weltesche, **Yggdrasil** genannt, spielt in der nordischen Mythologie eine zentrale Rolle. Yggdrasil stellt die Weltachse dar. Mit ihren Zweigen umfasst sie die ganze Welt und ragt zum Himmel empor. Unter ihrem Stamm, in dem das erste Bienenvolk hauste, quoll ein heiliger Brunnen. Aus diesem schöpften drei Schicksalsgöttinnen Wasser und sprengten es über die Blätter des Lebensbaumes. Das Lebenswasser, das von der Esche auf die Erde fiel, wurde **Honigfall** (Honigtau) genannt. Davon ernährten sich die Bienen und die beiden ersten Menschen, die aus der Weltesche heraus geboren wurden. (2, 3)

Honig erscheint in diesem Bild als Urnahrung der ersten Menschen, als Saft der Fruchtbarkeit.

Griechische Mythen

Gemäss griechischer Mythen gab es Bienen und Honig schon immer, der Mensch kam erst später. Auch nach den heutigen naturwissenschaftlichen Erkenntnissen besiedelten Bienen die Erde lange vor den Menschen.

Sogar als die grossen griechischen Götter Zeus und Dionysos geboren wurden, waren bereits Bienen da, denn Honig nährte und besänftigte die Götterkinder. Griechische Mythen erzählen darüber so:

„Die grosse Muttergöttin Rhea versteckte ihren neugeborenen Sohn Zeus in einer Höhle auf der Insel Kreta, um ihn vor seinem hungrigen Vater Chronos zu schützen. Nymphen, weibliche Naturgottheiten, nährten den Göttersohn mit Ziegenmilch und Honig. Sie hiessen Amaltheia, die Ziege, und Melissa, die Biene)." (33b)

Dionysos, Sohn des Zeus, war sowohl Gott der Fruchtbarkeit und des Weinbaus als auch des aufblühenden Frühlings. Auch er wurde mit Honig aufgezogen. Zudem wird berichtet, er habe auf einer seiner Reisen „herumirrende Bienen gezähmt" und in eine Baumhöhle eingewiesen. Dieser Mythos bedeutet zweierlei: Zum einen weist er darauf hin, dass Dionysos den Menschen gezeigt hat, wie Bienen zu „zähmen" sind, das heisst, wie geimkert wird; zum anderen symbolisieren die „herumirrenden" oder schwärmenden Bienen eine auswandernde Menschengruppe, die eine neue griechische Kolonie gründet und von Dionysos mit Honig belohnt wird. „La colonie" heisst im Französischen heute noch „das Bienenvolk" (60a).

Auswandernde Menschen, die ihre Heimat wegen drohender Hungersnot verlassen mussten, folgten schwärmenden Bienenvölkern. Denn wo sich Bienenvölker niederlassen, ist die Erde fruchtbar.

Kulturgeschichte der Honigbiene

Abb. 40
Naturgottheit
Die kunstvolle, in einen Onyxstein geritzte Zeichnung entstand um 1500 v. Chr. in Knossos (Kreta). Kopf und Arme verdeutlichen, dass die Figur eine Bienengottheit darstellt. Die Stierhörner auf ihrem Kopf und die geflügelten Hunde weisen darauf hin, dass die Bienengöttin dem Mond zugeordnet wurde. Der stilisierte Schmetterling zwischen den Hornspitzen symbolisiert das sich erneuernde Leben. (31)

Aristaios

Der grosse griechische Begründer der Bienenzucht war Aristaios, Sohn des Gottes Apollon und der Nymphe Kyrene. Nach einer Legende wurde er von Nymphen in die Bienenhaltung eingeführt (32b) (→ S. 46). Auffallend ist, dass Nymphen immer wieder als Honignährerinnen und Bienenlehrerinnen der Götter erschienen. Nymphen waren grosse, weibliche Naturgottheiten. Sie beseelten die Erde, Bäume, Quellen und Brunnen.

In der heutigen Imkerei wird das schneeweisse Puppenstadium der Biene kurz vor dem Schlüpfen als Nymphe bezeichnet.

Aristaios lehrte die Menschen auch Käse herzustellen und Oliven anzubauen. Nach neusten Funden nahm die Käseherstellung ihren Ursprung vor etwa 11 000 Jahren (8), zu jener Zeit also, als die Menschen sesshaft wurden. Es kann angenommen werden, dass damals auch die Bienenhaltung begann.

Orakel von Delphi

Die Priesterin oder das Orakel von Delphi wurde Biene genannt. Auch die Priesterinnen des Demeter-Heiligtums in Eleusis und der Artemis-Kultstätte in Ephesos hiessen Bienen, und der Oberpriester trug den Titel Essen, das bedeutet Bienenweiser (49a). (Früher hiess die Königin eines Bienenvolkes König, Führer oder Weiser. Noch heute nennen die Imker die Königin Weisel.) Die Priesterinnen wurden wohl deshalb Bienen genannt, weil sie wie die Bienen „Dienerinnen und Gesandte der Götter" waren und über hellsichtige Begabungen verfügten; ihre Weissagungen waren so rein und unverfälscht wie Honig.

Bienen sind nicht nur lieblich. Sie können auch rauben, stechen und töten. Doch das Rauben und Stechen der Bienen wurde vielfach nicht als boshaft, sondern als reinigend empfunden: Der Bienenstich galt als Warnung für persönliches Fehlverhalten. Wohl deshalb mussten die Imker der alten Kulturen strenge Verhaltensregeln befolgen. Sie durften zum Beispiel vor der Arbeit mit den Bienenvölkern keinen Alkohol trinken und mussten fasten sowie sexuellen Kontakt meiden. (23a, 63) Einige Verhaltensregeln leben in volkstümlichen Bräuchen weiter. Der schweizerische Volksmund sagt: „Wer flucht, wer schwört beim Bienenstand, den sticht die Biene in die Hand." (57a)

1.2 Honig – Geschenk der Erde

Indianische Mythen

Bienenhaltung und Honigproduktion waren für einige Indianerstämme so bedeutend, dass sie **Zivilisationen des Honigs** genannt wurden (23b). Die Indianer betreiben Haus- und Waldbienenzucht. Bei der Hausbienenzucht wurde der Schwarm in eine liegende, hohle Baumröhre eingeschlagen und die Öffnungen an den Stirnseiten mit Lehmziegeln verschlossen. Durch Ritzen oder Löcher an der Längsseite der Röhre konnten die Bienen ein- und ausfliegen. Bei der Waldbienenzucht wurde der Honig einmal im Jahr aus Wildvölkern geerntet. Diese lebten im Wald in hohlen Bäumen, aber auch in Felsritzen oder in Erdhöhlen. (11) Der Honig floss reichlich. Er galt als besonders gut – so gut, „dass man nicht wusste, ob man Honig ass oder aus Liebe brannte." (61)

Die Indianer Mexikos, Mittel- und Südamerikas glaubten, wer tanze, singe und rituelle Handlungen pflege, habe Kultur. Tanzen und singen aber lernt der Mensch von den Bienen.

Nach einer Legende lebt das Ur-Bienenvolk im Innern der Erde, in einer paradiesisch fruchtbaren Unterwelt. Ein Held gelangt dank göttlicher Führung zu diesem Bienenvolk und bringt es seinen Leuten. Erst jetzt beginnt für diese das zivilisierte Leben.

Der Verlust der Bienen galt als Rückfall in unglückliche Zeiten. Die Indianer sagen, das Bienenvolk sehne sich manchmal nach seiner paradiesischen Urheimat und wenn das Volk schwärme, möchte es sich mit seinem Urvolk im Herzen der Erde wieder vereinigen. Bei den Yucatan-Mayas heisst Cab sowohl Erde wie auch Biene.

Gemäss der Vorstellung der vorkolumbianischen Indianer wurden die Bienenvölker von Bienengöttern geleitet, die zugleich Ordnungshüter von Raum und Zeit sowie des ganzen Universums waren. Den Göttern wurde regelmässig an Festen gehuldigt. Um die Harmonie zwischen göttlicher Biene und Imker zu bewahren, waren alle imkerlichen Arbeiten von rituellen Handlungen begleitet.

Honig galt, wie Mais, Kartoffel und Maniok, als Geschenk der Götter an die Menschen. Er war Zeichen der Fruchtbarkeit: Wo es Honig gab, liessen sich die Indianer nieder, denn da war der Boden fruchtbar. Der Mensch durfte sich zwar am Honig erfreuen, doch die wahren Besitzer blieben die Götter. Geerntet wurde einmal im Jahr an einem bestimmten Tag. Als Gabe für die Götter wurde stets etwas Honig im Volk zurückgelassen. Honiggenuss und Honighandel waren streng geregelt. Bei den Lacandon-Indianern durfte Honig einzig bei rituellen Handlungen konsumiert werden. Noch zu Beginn des 20. Jahrhunderts verboten einige Indianerstämme den freien Verkauf des Honigs, obwohl sie das Geld und den freien Markt schon kannten. Honig musste verschenkt oder getauscht werden und hatte nie rein wirtschaftlichen Wert (→ S. 50).

Den Göttern wurde Honig als Zeichen der Verbundenheit und Verehrung geopfert und den Königen geschenkt. Später verlangten die Könige von ihren Untertanen oder Sklaven Honigtribute.

Im 16. Jahrhundert pflegten die Tupinamba-Indianer Brasiliens die Körper der Toten mit Honig einzureiben, um diesen den Übergang ins Jenseits zu erleichtern. Diese rituelle Handlung erinnert an einen Brauch der alten Griechen und Römer. Sie legten die Leichen ihrer grossen Könige und Kaiser in Honig. (23c)

Heisser und kalter Honig

Die Heilkraft des Honigs beruht gemäss **indianischer Medizin** auf seinem „heissen Charakter". Honig „wärmt" den Erkrankten und stellt dessen thermisches Gleichgewicht wieder her. Der Honig der Westlichen Honigbiene aber gilt als „kalt"; der Heiler verwendet nur „heissen" Honig der einheimischen Bienen (Meliponini, → S. 22). Die europäischen Eroberer führten die Westliche Honigbiene ein und verdrängten damit die einheimische Imkerei weitgehend. Die Bienengötter wurden durch christliche Schutzheilige ersetzt. Dadurch schwand die Kraft der rituellen Handlungen. Die „ausländische" Biene gilt nicht als heilig; deshalb bedarf sie weder der Opfer und der Feste noch der rituellen Handlungen. Sie ist nur noch ein Produktionsinstrument. (23c)

Abb. 41
Traditioneller indianischer Bienenstand in Chochola, Yucatan (Mexiko)
In Mexiko und Südamerika gibt es heute noch traditionelle Bienenzucht mit verschiedenen stachellosen Bienenarten (Meliponini). Die Völker werden in Röhrenbeuten, in Tonkrügen oder in Holzkistchen gehalten (→ S. 22).

1.3 Met verbindet Menschen und Götter

Met war eines der frühesten alkoholischen Getränke. Zu seiner Zubereitung wurde Honig mit Wasser und Pflanzenteilen oder Wurzeln vermischt und gegärt. Bei den Germanen galt Met als Trank der Götter und Helden. Die grosse Bedeutung, die ihm die Germanen beimassen, kommt in der folgenden **skandinavischen Legende** zum Ausdruck:

„Kwasir, der Überbringer göttlicher Weisheit, wurde von den beiden Zwergen Fialar und Galar ermordet. Das Blut Kwasirs sammelten die Zwerge in drei Schalen, die sie Eingebung, Vergebung und Opfergabe nannten. Sie mischten das Blut (die göttliche Weisheit) mit Honig (der himmlischen Schönheit) und machten Met daraus. Wer davon trank, wurde nicht nur weise, sondern

erhielt auch die Gabe des Gesangs und der Dichtkunst.
Einige Riesen zwangen die Zwerge, ihnen den Met abzugeben. Sie wussten aber nichts damit anzufangen und versteckten ihn in einer Kristallhöhle. Gunlöd, die Tochter des Riesen Suttung, musste die Höhle bewachen.
Odin, germanischer Gott der Winde, des Todes und der Dichtkunst, wollte vom Met trinken. Als Landstreicher verkleidet arbeitete er ein Jahr lang auf dem Bauernhof der Riesen, bis ihm der Berg gezeigt wurde, in dem sich die Kristallhöhle befand; sie war aber unzugänglich. Mit einem Bohrer gelang es Odin, einen winzigen Tunnel zur Höhle zu bohren und sich als Wurm hindurchzuschlängeln. Im herrlichen Kristallsaal angelangt, verwandelte er sich in seine göttliche Gestalt zurück und stand vor Gunlöd. Sie verneigte sich ehrfürchtig vor ihm.
Drei Liebesnächte verbrachten Odin und Gunlöd zusammen. Willig reichte sie ihm die Schalen mit Met. Dann erhob sich Odin wie ein Adler in die Luft und liess Gunlöd alleine zurück. Der Riese Suttung, der den Diebstahl ahnte, verfolgte Odin durch die Luft, aber dieser entkam und kehrte in sein Reich Asgard zurück, wo bis zum heutigen Tag mit Met gefüllte Kelche aufbewahrt werden." (32c, 20)

Der Met bei den Indianern

Met war für die Indianer ebenso wichtig wie Honig. Met durfte nur bei bestimmten Festen und Zeremonien getrunken werden, und zwar ausschliesslich von Männern, manchmal sogar nur von Kriegern. Rituellen Regeln folgend wurde übermässig getrunken. In den durch den Met ausgelösten Visionen und Träumen offenbarte sich der Wille der Götter.
Die enge Verknüpfung von Metgenuss und religiösem Ritual veranlasste die katholischen Priester der spanischen Okkupationsmacht, den Metgenuss zu verbieten. (23d)

1.4 Biene und Honig als Zeichen der Wiedergeburt

In der oben wiedergegebenen Odin-Legende symbolisiert Met das Neue, das aus dem Opfertod des göttlichen Wesens „Kwasir" entstand. Interessanterweise drücken dies auch Legenden anderer Kulturvölker aus: Auf der Schwelle des Opfertodes gibt es Bienen oder Honig. Sie verkörpern das ewige Leben oder die Wiedergeburt der Seele auf einer höheren Stufe. Einige Beispiele dazu:

Bienengeburt aus der Priesterin Melissa
Im Demeter-Heiligtum von Eleusis wurde die Priesterin Melissa von der Göttin Demeter in deren Mysterien (religiöse Geheimnisse) eingeweiht. Einige Frauen verlangten von Melissa, sie solle diese Mysterien preisgeben. Melissa aber blieb standhaft und schwieg. Da wurde sie durch die erbosten Frauen getötet. Doch Demeter liess aus dem Leichnam Melissas Bienen emporsteigen. (49a, 48b)

Bienengeburt aus dem Löwen
Der biblische Samson tötete auf dem Weg zu seiner Braut einen jungen Löwen. Einige Zeit später kehrte er zum Aas zurück. Im Löwenkörper hatte sich ein Bienenvolk niedergelassen. Samson ass vom Honig und stellte den Hochzeitsgästen das berühmte Rätsel: „Vom Fresser ging Speise aus und Süsse vom Starken." (3, 49b)

Kulturgeschichte der Honigbiene

Bienengeburt aus dem Stier

Allgemein bekannt ist die ägyptisch-griechische Legende über Bienen, die aus rituell getöteten Stieren geboren wurden. Der römische Dichter Vergil (70–19 v. Chr.) schrieb folgende, hier stark gekürzt wiedergegebene Legende nieder:

Euridike, die Frau Orpheus', fand auf der Flucht vor Aristaios den Tod. Zur Strafe verlor Aristaios all seine Bienen. Mit Hilfe von Nymphen und seiner Mutter, der Jagdgöttin Kyrene, fand er zu einem Ungeheuer. Nachdem Aristaios dieses besiegt hatte, riet es ihm, Stiere zu opfern, um den Tod Euridikes zu sühnen. Aus den Tierkadavern stiegen Bienen empor, die Aristaios einfing. (32d, 47)

Der Stier war für die alten Ägypter ein heiliges Tier. Er verkörperte nicht nur Naturkraft, sondern auch göttliche Kraft und schöpferisches Wort. (39) Auserwählte Stiere wurden den Göttinnen und Göttern an jährlich stattfindenden rituellen Feiern geopfert. Der heilige ägyptische Stier hiess *Apis*. Interessanterweise ist Apis heute der wissenschaftliche Name der Honigbiene (43a). (Über den Ursprung des Namens *Apis* für Honigbienen gehen allerdings die Ansichten auseinander.)

Stier und Biene sind Zeichen der Fruchtbarkeit. Der Stier verkörpert geballte, bisweilen gefährliche Naturkraft. Vor den Pflug gespannt, erweist sich diese Kraft für den Menschen als wertvoll. Der pflügende Stier ermöglicht Landwirtschaft. Nicht weniger kraftvoll wirken die Bienen, wenn sie „pflügend" (bestäubend) durch die Luft ziehen. Doch im Gegensatz zum Stier ist ihre Natur- und Schöpferkraft nie zerstörerisch. Die Biene versinnbildlicht deshalb die ideale Menschenkultur.

Auch die Sternbilder am Himmel weisen auf die Beziehung zwischen Stier und Biene hin: Wenn die Sonne im Mai im Sternbild des Stieres steht, schwärmen die Bienen.

Abb. 42
Bienengeburt
Der Holzschnitt zeigt die Geburt der Bienen aus Stieren, die Bugonie.
Er wurde 1555 in Olaus Magnus' „Historia" gedruckt.
Die Legende der stiergeborenen Bienen war im Mittelalter noch weit verbreitet. Sie basiert auf uralten Opferritualen und wurde später allzu wortgetreu als Anleitung missverstanden, wie Bienen erzeugt werden können.
Die aus dem Stier emporsteigenden Bienen symbolisieren die Verwandlung der instinkthaften Naturkräfte in lichthafte, geistige Kräfte. (38)

Mythen und Symbolik

Abb. 43
Altgriechische Gemme
Auf dem kleinen, in Stein geschnittenen Sinnbild ziehen nicht zwei Ochsen, sondern zwei Bienen den Pflug. Vielleicht sollte damit die Weisheit „Harte Arbeit – süsser Lohn" dargestellt werden. Die tiefere Bedeutung könnte sein: Dort, wo die Biene „pflügt", ist das Land in doppeltem Sinne fruchtbar; es gedeiht Agrikultur und Menschenkultur. Eine Deutung aus dem Mittelalter sieht in diesem Sinnbild die drei guten Prinzipien des menschlichen Lebens dargestellt, nämlich die Herrschaft des Weisen, die Pflege und Bearbeitung des Landes und die Süssigkeit und Erholung des Honigs (22).

Abb. 44 und 45
Altgriechische Münzen aus Dyrrhachion (heute: Durres in Albanien)
Kuh, Biene und Bienenkorb symbolisieren das „gelobte Land, wo Milch und Honig fliessen". Milch (die nährende Kuh) bedeutet, dass die Menschen sesshaft werden und die Landwirtschaft gedeiht. Honig (Biene und Bienenkorb) besagt, dass Menschenkultur blüht.

1.5 Honig und Wachs – Wahrheit und Licht

Im Alten Testament versinnbildlichen Honig und Biene Erkenntnis und Weisheit:
Die biblische *Deborah* war Prophetin, das bedeutet Weissagerin. Deborah ist der hebräische Name für Biene (56b). *Jonatan*, ein Prophet aus dem alten Testament, nahm Honig zu sich und wurde hellsichtig (2). *Jesaja* kündigt die Geburt des christlichen Gottessohnes an, der so lange von Butter und Honig genährt würde, bis er das Böse verwerfen und das Gute wählen könne (4).

Schon Zeus, Dionysos und Aristaios waren von Bienen genährt worden (→ S. 41/42). Ebenfalls im Säuglingsalter von Bienen beehrt wurden: Pindar, ein griechischer Lyriker und Komponist (5. Jh. v. Chr.); Platon, der bekannte griechische Philosoph (4. Jh. v. Chr.); Johannes Chrysostomos, ein Patriarch und Kirchenvater von Konstantinopel (4. Jh. n. Chr.); Ambrosius, der wegweisende Kirchenvater und Bischof von Mailand (4. Jh. n. Chr.) und schliesslich Bernhard von Clairvaux, ein Mönch und Klostergründer (11. Jh. n. Chr.).
Die Biene symbolisierte den „göttlichen Funken", der auf diese Persönlichkeiten übersprang und sie zu ihrem segensreichen Wirken befähigte.

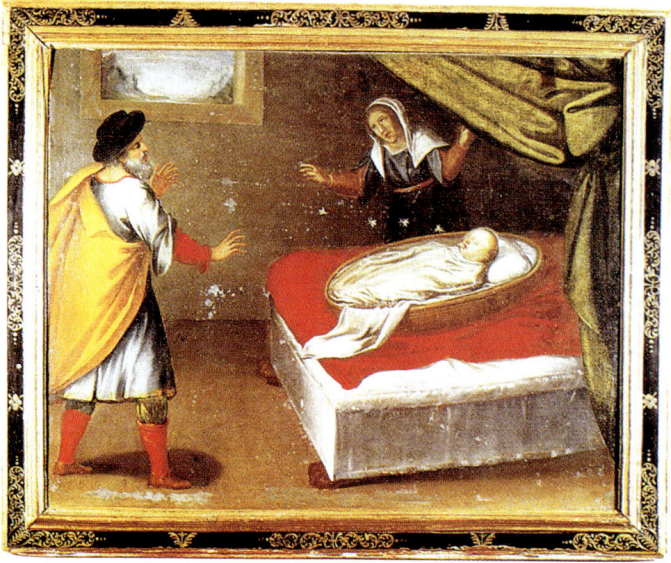

Abb. 46
Die heilige Rita
Das Gemälde aus dem 17. Jahrhundert zeigt, wie die heilige Rita (geboren um 1360) im Säuglingsalter von Bienen genährt wurde. Dieses Geschenis galt als Zeichen der göttlichen Eingebung. Die heilige Rita wirkte im Kloster von Cascia (Süditalien). Sie ist Patronin der unerfüllbaren Wünsche.

Die Biene ist Maria

Die Kirchenväter setzten das Bild der Biene, die das Wachs jungfräulich aus sich heraus gebiert, der jungfräulichen Zeugung und Geburt Jesus gleich (→ S. 68). Jungfräulich, keusch bedeutete ursprünglich „mitwissend, eingeweiht" (lateinisch: conscius) und später dann „der christlichen Lehre bewusst" (frühmittelalterlich: kuskeis). Die Jungfrau Maria war die „heilige Biene", die „Eingeweihte" der Christen. Sie trägt den „Bienen"-Namen wie schon die Priesterinnen der griechischen Artemis- und Demeterkultstätten und wie auch Deborah im Alten Testament.

Mythen und Symbolik

Abb. 47
Marienbild mit Bienenkörben
Um 1519 von Matthias Grünewald gemalt. Heute befindet sich das Gemälde in der Kirche von Stuppach bei Mergentheim.
Die Bienenkörbe sind Symbol der heiligen Maria, denn die mittelalterliche Kirchenlehre verglich Maria mit einem „Bienenkorb, in den sich die hochgelobte Biene, der Sohn Gottes, niedergelassen habe. Der heilige Geist habe in Maria eine Wabe vorbereitet, die den süssesten Honig, die Gnade, aufnehmen würde. Gefüllt würde die Wabe aber mit der Macht, der Liebe und der Heiligkeit Christi". (55)

Der Kirchenvater **Ambrosius** (340–397), der Patron der Imker und Kerzenzieher, schrieb in einem Osterlobgesang über die Biene: „Die Biene überragt alle anderen Tiere, die dem Menschen unterworfen sind. Obwohl sie klein von Körper ist, trägt sie gewaltigen Geist in ihrer engen Brust. Schwach ist sie an Kraft, aber stark durch ihre Erfindungskunst. Sie erforscht den Wechsel der Zeiten: Wenn der reifbesprenkelte Winter sein graues Haar ablegt und die milde Frühlingsluft das starre Eis zum Schmelzen gebracht hat, dann machen sie sich sofort zu ihrer Arbeit auf. Sie verteilen sich über die Fluren, schwingen zart die Flügel, hängen sich mit ihren Beinchen an und setzen sich nieder. Ein Teil liest mit dem Munde die Blüten ab, und beladen mit der Nahrung kehren sie zu ihrem Lager zurück. Dort bauen andere mit unbeschreiblicher Kunst Zellen mit zähem Leim; andere häufen den flüssigen Honig auf; andere wandeln den Blütenstoff in Wachs; andere bilden mit dem Munde die Brut; andere schliessen den von den Blättern gesammelten Nektar ein. O wahrhaft wunderbar ist die Biene! Ihr Geschlecht wird nicht vom Manne verletzt, nicht von der Brut gestört, ihre Keuschheit nicht von den Kindern weggenommen. So hat auch die heilige Maria als Jungfrau empfangen, als Jungfrau geboren und ist Jungfrau geblieben." (49c)

Kulturgeschichte der Honigbiene

Das Blut Christi ist Honig

Die Legende sagt: „Als Christus ans Kreuz geschlagen wurde, tropfte sein Blut auf die Erde; angelockt durch die Süsse der roten Tropfen flogen Bienen herbei und sammelten das Blut Christi ein." (43b)

Dies erinnert an die Opfertod-Legenden (→ S. 45). Biene und Honig sind für die christliche Kirche wesentliche Symbolträger. Honig bedeutet: Blut Christi, Gottes Wort, Heilige Schrift und Wahrheit. Die Biene, die sich nur von Honig nährt, den sie, ohne die Natur zu schädigen, sammelt, verkörpert den gläubigen Christen, der Gottes Wort in sich aufnimmt und selbstlos weitergibt. Deshalb war vermutlich der frommen Landbevölkerung der Handel mit Honig und Bienen untersagt, denn Göttliches kann verschenkt oder eingetauscht, aber nicht verkauft werden. (57a)

In der urchristlichen Kirche wurde den Neugetauften an Ostern nicht Wein, sondern Honigmilch gereicht. In der christlichen Kirche Ägyptens, der koptischen Kirche, wird dieser Brauch heute noch praktiziert. (48c)

Die Osterkerze ist der Leib Christi

In der christlichen Kirche hatte das Bienenwachs stets eine besondere Bedeutung (→ S. 68). Die Bienenwabe ist Trägerin des Honigs, so wie Christus Träger des göttlichen Wortes ist. Deshalb wurde die Bienenwachskerze zum Sinnbild des Leibes Christi. Das Bienenvolk verkörperte die christliche Glaubensgemeinschaft, die Kirche. Und Jesus war der Bienenkönig. (60b, 55)

Abb. 48

Osterkerze in der Klosterkirche Mariastein

Die Osterkerze ist in der katholischen Kirche die ursprünglichste und bedeutungsvollste aller Kerzen. Sie symbolisiert den Leib Christi. So wie die Kerze verbrennt und sich in Licht verwandelt, so starb der Leib Christi, während sein Geist zu Gott emporstieg. Die Osterkerze wird in der Osternacht nach vorgeschriebenem Ritual angezündet, und die Bienen, die das Wachs der Kerze erzeugen, werden in den Osterlobgesang (Exultet) mit einbezogen.

Mythen und Symbolik

Das Bienenvolk weist den Weg

Das harmonische Zusammenwirken in einem Bienenstock, der heilsame Honig und das Licht spendende Wachs verstanden die Menschen aller Kulturen und Zeiten als Offenbarung des göttlichen Willens.

Das Bienenvolk zeigt das Ziel, das der Mensch auf seinem Lebensweg noch vor sich hat. (33a) Die Biene, die den Honig sucht, gleicht der Seele auf ihrer Suche nach himmlischer Erkenntnis. (56c)

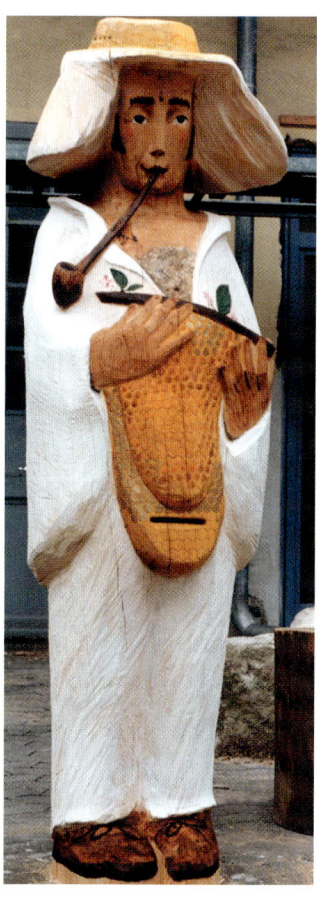

Abb. 49–51
Figurenbeuten

Links: Apostel Petrus, 17. oder 18. Jahrhundert, aus Höfel bei Löwenberg (Schlesien). Mitte: Flötenspieler, 18. oder 19. Jahrhundert, steht heute im Freilichtmuseum Posen, Polen. Rechts: neu geschaffene Figurenbeute von Birgit Jönsson (Nürnberg, 1998). Figurenbeuten können zur Kontrolle des Volkes und zur Honigernte hinten geöffnet werden. Die ältesten Figurenbeuten stammen vermutlich aus dem frühen 17. Jahrhundert.

Immer wieder stellte sich der Mensch als Bienenwohnung dar. Figurenbeuten sind mehr als nur folkloristische Beigaben zur Verschönerung des Bienengartens. Sie sind künstlerischer Ausdruck der Sehnsucht des Menschen nach der gelebten Harmonie des Bienenvolkes. Der Mensch begibt sich auf den „Bienenweg": Er möchte sich Heilkraft und Weisheit des Honigs einverleiben sowie körperlich und geistig fruchtbar sein wie das Bienenvolk; deshalb befindet sich das Flugloch sinnigerweise oft im Genitalbereich oder im Mund.

2. Vom tausendfältigen Wachs

Matthias Lehnherr

Dem Bienenwachs kommt in fast allen Kulturen grosse Bedeutung zu. Es ist vielseitig zu verwenden und hat eine starke Symbolkraft.

„Wachs dient zu tausendfältigem Gebrauch im täglichen Leben", schrieb Plinius, ein römischer Feldherr und Schriftsteller, im 1. Jahrhundert n. Chr. (63a).

2.1 Wachs als Handelsgut

Von der Antike bis ins späte Mittelalter war Wachs, neben den anderen Bienenprodukten Honig und Met (Honigwein), ein wichtiges Alltagsgut.

Um Christi Geburt hatte die römische Bienenzucht ein hohes Niveau erreicht. Sie war ein bedeutender Bereich der landwirtschaftlichen Grossbetriebe. In den Nischen der Villenmauern, den gedeckten Parkanlagen, in Obst- und Wildgärten wurden Bienenvölker in Strohkörben oder Holzkästen gehalten (18x) (→ S. 77, 78). Trotzdem konnte die Inlandproduktion allein den Bedarf an Wachs und Honig nicht decken. Die Römer mussten diese Güter aus tributpflichtigen Gebieten (Afrika, Korsika, Syrien, Griechenland) einführen.

Ausgezeichnete Lebensbedingungen für die Bienen wiesen seit jeher die Siedlungsgebiete der Slawen, Balten und Ostgermanen auf, weil in Südost- und Osteuropa riesige Lindenmischwälder vorherrschend waren. Der jahrhundertelange Honig- und Wachsexport in die westliche Welt hat auch zum Reichtum des alten Russland beigetragen. (18a)

Vom 5. bis 16. Jahrhundert erfuhr die Bienenzucht ungewöhnlichen Aufschwung, weil die christliche Kirche für die kultischen Handlungen zunehmend Bienenwachs benötigte. In der Schlosskirche Wittenberg zum Beispiel sollen zur Zeit Luthers jährlich 36 000 Pfund Wachs verbrannt worden sein. Damals verdiente ein Schreiner 24 Pfennige pro Tag; ein Pfund Fleisch kostete vier Pfennige, ein Pfund Wachs aber 40. (4) Auch Honig und Met gehörten zu den täglichen Konsumgütern. Träger und Förderer der Bienenzucht und der damit verbundenen Wachsproduktion waren in erster Linie die Klöster, dann die Bauern, die zu Wachszins verpflichtet wurden, und schliesslich die „Wachszinsler". Wachszinsler waren ehemals besitzlose Bauern, die sich ihre Freiheit durch jährliche Wachsabgaben erkauften.

Sowohl Klöster und Kirchen als auch weltliche Herren erhoben Gebühren und Zinsen oder verhängten Bussen, die mit Wachs, Honig oder Met zu begleichen waren. Deshalb war die Bienenhaltung für viele eine unerlässliche Nebenbeschäftigung (16a) (→ S. 79–85).

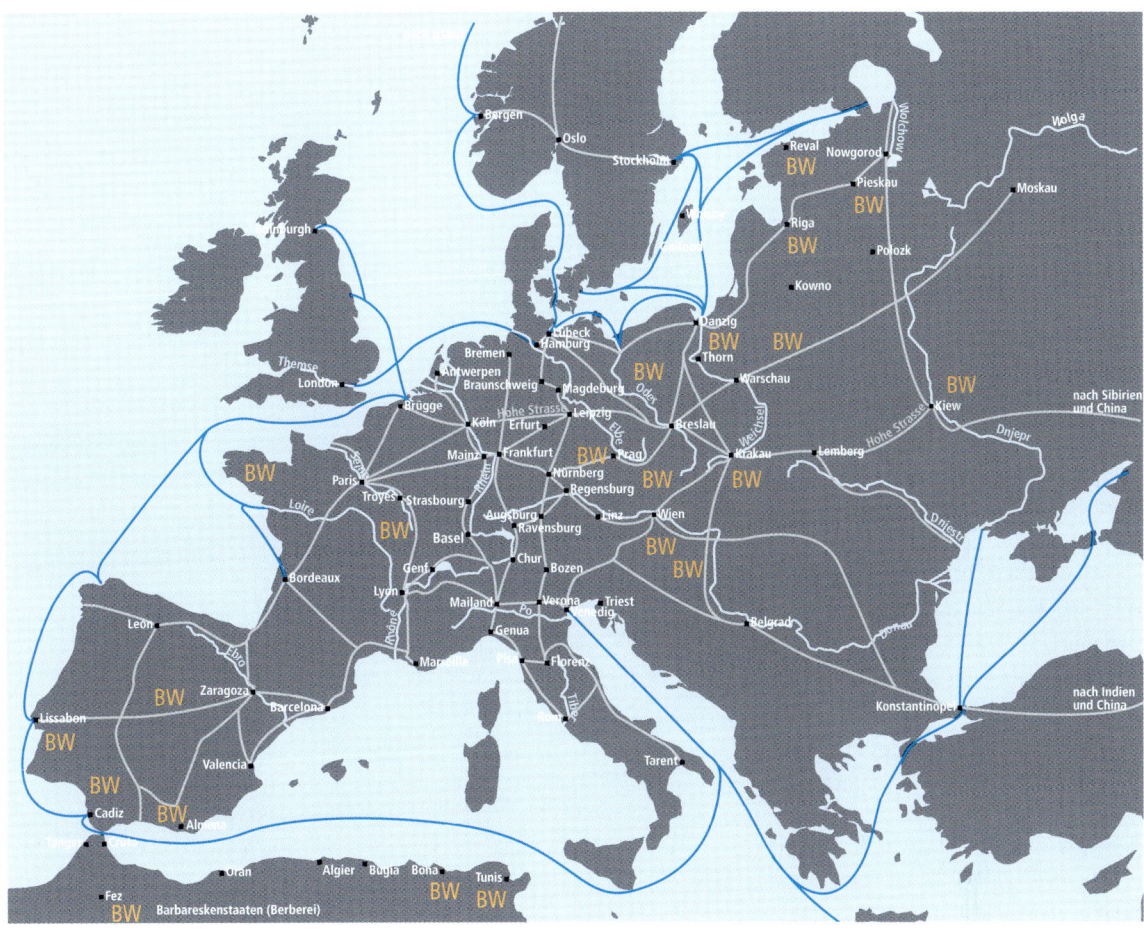

Abb. 52
**Europäische Fernhandelswege des hohen und späten Mittelalters
(13.–16. Jh.)**
Wichtige Bienenwachsproduktionsorte sind mit BW gekennzeichnet. (18q)

Kulturgeschichte der Honigbiene

2.2 Wachs als Heilmittel

Vom Altertum bis ins späte Mittelalter kam dem Bienenwachs doppelte Bedeutung zu: Es war ein **heiliger** und **heilender** Stoff.
Als heilig galt Wachs, weil es rein und unverderblich von der „göttlichen", vorbildlichen Biene hervorgebracht wird und ausserdem in Form von kultischen Kerzen Leuchtkraft besitzt (→ S. 49 und S. 68).
Heilend ist Bienenwachs dank seiner stofflichen Qualitäten. Heute ist bekannt, dass es reich an Vitamin A ist und sich deshalb zur Behandlung und Pflege der Haut eignet (→ Band „Bienenprodukte", S. 95).
Der heilende und der heilige Charakter des Wachses waren früher eng miteinander verbunden. So schrieb zum Beispiel Fortunatus von Poitiers im 6. Jh.: „Im Vertrauen auf den ewigen Arzt, der durch sein Wort allein heilt, legte der heilige Leobinus zwölf Jahre lang geweihtes Wachs auf die Geschwulst seiner Nase und gewann ohne jede menschliche Hilfe die Gesundheit seiner Nase wieder." (18c)
Bereits in der antiken Heilkunde diente Bienenwachs als Grundstoff vieler Heilmittel, da „es eine Art Mittelstellung einnimmt zwischen Dingen, die wärmen und kühlen, die feucht und trocken machen. Es besitzt etwas Dickliches (Grobes) und Schmierendes. Deswegen macht es nicht nur trocken, sondern verhindert je nach Umständen das Ausdünsten" (Aetius Amidenus, 6. Jahrhundert n. Chr.). Bienenwachs wurde auch vielfach in Verbindung mit anderen Substanzen verwendet (63b, 63f):

– Hippokrates (5. Jh. v. Chr.) rät, bei Angina eine Wachsschicht auf Kopf und Hals zu legen (8), und empfiehlt Heilmittel mit Wachs gegen Brandwunden, Afterentzündungen, zur Heilung von Klumpfüssen und nach Operationen der Kopfhaut.
– Plinius (1. Jh. n. Chr.) stellt fest, dass jedes Wachs weich und warm macht und das Fleisch regeneriert. In einem Trank oder im Hirsebrei hilft es bei Durchfall und dient als Heilmittel gegen Schwellungen in der Leistengegend. Ferner nennt er Wachssalben mit verschiedensten Zusätzen, Wachsumschläge und Wachspflaster.
– Vergil (1. Jh. v. Chr.) beschreibt Rezepte für eine Wachssalbe gegen Krätze (Milbenbefall) und für Umschläge gegen Geschwülste und Frostbeulen.
– Celsus (1. Jh. n. Chr.) liefert eine umfangreiche Rezeptliste mit Wachssalben und beigemischten Heilmitteln.

2.3 Wachs für plastische Darstellungen (Keroplastik)

Seit jeher formen Menschen Figuren aus Bienenwachs. Den Beruf des **Wachsbildners** gab es von der Antike bis zu Beginn des 20. Jahrhunderts. Ein Wachsbildner musste vielseitig begabt sein: Er war Bildschnitzer, Gipsformer, Wachsgiesser und Wachsmodellierer, Maler, Restaurator, Medailleur und Steinschneider.

Im Mittelalter wurden die Wachsbildner **Wachsbossierer** genannt (bossieren bedeutet „fein herausmodellieren"). Moulageure heissen seit 1880 jene Wachsbossierer, die dermatologische Wachsmodelle des menschlichen Körpers herstellen. Ihre Wachsmodelle werden Moulagen genannt. Der folgende Bildbericht gibt Einblick in die Vielfalt der Wachsbildnerei.

Grabbeigaben

In Ägypten wurden schon in frühesten Zeiten Wachsfiguren für religiöse, heilende oder magische Handlungen verwendet. Während Begräbniszeremonien wurden an Wachsfiguren religiöse Riten vollzogen, um so den Toten zu helfen. (18e) Oft wurden Wachsfiguren als Amulette in den Leichnam hineingelegt und mit ihm mumifiziert. Die Amulette stellten kleine Tiere oder Schutzgötter dar.

Abb. 53
Grabbeigabe
Die Frauenfigur (Höhe 17 cm) ist wahrscheinlich eine ägyptische Grabbeigabe aus der 11. Dynastie (um 2000 v. Chr.). Das Wachs wurde um einen Kern aus Holz- oder Schilfrohr aufgetragen.

Zauberfiguren

Vom Altertum bis ins hohe Mittelalter herrschte die Überzeugung, das Leben und Befinden anderer lasse sich mit Hilfe von Wachsfiguren beeinflussen. Atzemännchen und Rachepuppen wurden solche Figuren genannt; sie dienten sowohl dem Liebes- als auch dem Machtzauber. Um jemandem Schaden zuzufügen, wurden zum Beispiel feine Nadeln in die „Leber" der Wachsfigur gesteckt oder diese wurde durchschossen (Hexenschuss). Bis ins Mittelalter fürchteten selbst Könige und Päpste diesen Schadenszauber, was den Massenwahn des Hexenglaubens unterstützte. (47b)

Ahnenbilder

Um auf ihre hohe Abstammung hinzuweisen, postierten die römischen Adligen im Atrium, dem offenen Hauptraum der Häuser, Wachsporträts oder -masken ihrer Ahnen. Beim Begräbnis wurden die Ahnenmasken sowie eine naturgetreue Wachsmaske des Verstorbenen mitgeführt und während sieben Tagen öffentlich ausgestellt. Nach den Begräbnisfeiern wurden die Totenmasken in Schränken aufbewahrt, an Fest- und Freudentagen aber wieder hervorgeholt, mit Lorbeer bekränzt und verehrt. (18d) Die naturalistische Nachbildung der Toten half den Hinterbliebenen, mit den Verstorbenen in Kontakt zu bleiben.

2 Kulturgeschichte der Honigbiene

Abb. 54
Römisches Ahnenbild
Die Statue stellt einen vornehmen Römer dar, der in jeder Hand eine naturgetreue Imago seiner Vorfahren hält. Diese Büsten waren aus Wachs und wurden an Feier- und Gedenktagen zur Schau gestellt.
Im späten Mittelalter lebte dieser Brauch in höfischen und bürgerlichen Kreisen neu auf (→ S. 59).

Opfergaben

Seit jeher wurden in allen Religionen Opfer dargebracht, sei es, um eine Bitte zu bekräftigen, oder als Dank für die gewährte Erhörung. (46c) Das Opfer ist ein äusseres Zeichen für die innere Hingabe an Gott.

In der Antike zum Beispiel bedeckten die Menschen die Knie von Götterstatuen mit Wachs und klebten an das „Wachspflaster" ein Schreibtäfelchen mit eingeritztem Gelübde. (63c) (Das Knie war im Altertum „Sitz" der Macht. Das Wachspflaster auf den Knien der Gottheit bedeutete Unterwerfung und Hingabe.)

Ägypter, Griechen und Römer stellten in ihren Tempeln figürliche Darstellungen erkrankter Organe aus Wachs, Bronze und Ton auf. (46d) Daraus entstand christliches Brauchtum.

Votive werden Opfergaben genannt, die zum Wallfahrtsort gebracht werden, nachdem ein Gelöbnis abgelegt und die erflehte Gnade gewährt worden ist. So wird Gott gelobt. Meist stellen Votive erkrankte Körperteile von Menschen oder Tieren dar.

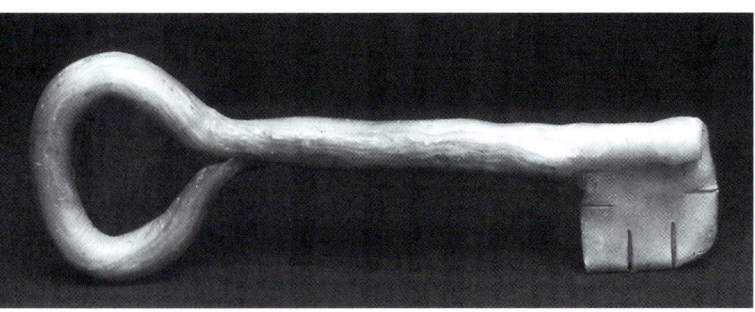

Abb. 55
Wachs-Votivgabe
von Hand geformt, Wallis (Belalp), um 1940.
Der Schlüssel ist Zeichen für eine gute Geburt.

Vom tausendfältigen Wachs

Abb. 56
Lebensgrosse Votivplastik eines zwölfjährigen Knaben aus Bienenwachs, 1628
Votivfiguren in Lebensgrösse sind besonders deutliche Zeichen der Hingabe und der Ernsthaftigkeit. Der Spender musste allerdings auch über die nötigen Gelder verfügen, um die grosse Menge an Bienenwachs anzukaufen und den Wachsbossierer zu bezahlen.

Abb. 57
Wachsvotive
Diese Votive wurden in Holzmodeln gegossen oder von Hand geformt. Sie entstanden um 1940. Grosses und kleines Bein, Hand, Hoden, Zähne, Kröte (gegen Frauenleiden, z. B. Gebärmutterbeschwerden).

Abb. 58 (unten links)
Fetschenkindlein aus Bienenwachs
in 19,5 cm langer Spanschachtel aus dem Kloster St. Katharinental, Thurgau, um 1850.
„Eingefetscht" heisst eingewickelt (lat. fascia = Binde, Band). Fetschen- oder Wickelkinder gehörten zu den am häufigsten geopferten Votiven. Sie wurden bei Kinderkrankheiten, in Geburtsnöten, aber auch als Bitte um oder Dank für Kindersegen in die Kirche getragen.

Abb. 59 (unten rechts)
Christkind im Paradiesgärtlein
Klosterarbeit aus der Ostschweiz, Länge 22 cm, 19. Jahrhundert.
Seit dem 13. Jahrhundert wurden in den Klöstern aus Holz geschnitzte, meist aber aus Wachs gegossene Jesuskindlein aufgestellt und verehrt. „Himmlische Trösterlein", „Seelentrösterlein" oder „Himmlischer Bräutigam" wurden sie genannt. Die Nonnen erhielten sie beim Eintritt ins Kloster von ihren Verwandten geschenkt (41). Verglaste, oft üppig geschmückte Kästchen oder Schachteln schützen die Figuren vor Staub. Aus dem klösterlichen Bereich kamen die Christkindfiguren in Bürger- und Bauernhäuser und begleiteten auch dort die innige Andacht.

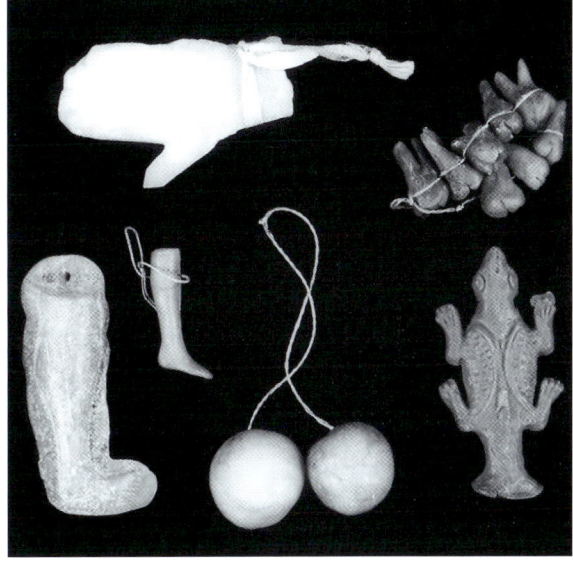

Kulturgeschichte der Honigbiene

Die eigentlichen Wurzeln des weit verbreiteten Votivbrauchtums liegen in der Vorstellung begründet, Abbild und Wirklichkeit seien aufs engste miteinander verbunden (46e). Das Bienenwachs lässt sich fein bearbeiten und färben. Somit eignet es sich ausgezeichnet zur naturgetreuen Nachbildung menschlicher Gliedmassen oder ganzer Körper. Neben Brot, Wein, Wasser, Salz und Öl war Bienenwachs für die christliche Kirche ein heiliger Stoff. Deshalb mussten alle Kirchenkerzen aus reinem Bienenwachs gefertigt sein. Für die Votive war das Material nicht vorgeschrieben, doch meist waren auch sie aus Wachs.

Das älteste Zeugnis einer christlichen Votivgabe aus Wachs stammt aus dem 10. Jahrhundert. Es beschreibt, wie eine Frau namens Eggu im Traum aufgefordert wurde, ihre kranke Hand aus Wachs nachformen zu lassen und die Votivgabe am Grab der heiligen Ida zu opfern. (46f)

Das Votivbrauchtum verschwand im 20. Jahrhundert fast vollständig und wurde durch Geldspenden ersetzt.

Amulette

Amulette sind kleine Anhänger, die dem Träger Schutz oder Kraft verleihen. Sie wurden aus dem „heiligen Wachs" der christlichen Kirche gefertigt. Die geweihte Osterkerze (→ S. 68) wurde seit dem 6. Jahrhundert zerstückelt und unter die Gläubigen verteilt. Mit den Wachsstücken wurde die Wohnung und der Stall ausgeräuchert, um die Macht des Bösen abzuwehren und sich vor Unglück zu schützen. (29) Ab dem 9. Jahrhundert traten anstelle der Wachsstückchen kleine, aus Wachs geformte Osterlämmer. Im 13. Jahrhundert entstand daraus das ovale Agnus-Dei-Amulett (Agnus Dei = Lamm Gottes). Auf der Vorderseite dieser ovalen Wachstäfelchen war ein Osterlamm und auf der Rückseite das Papstbild oder eine Heiligenfigur eingeprägt.

Abb. 60 und 61
Agnus Dei
Dieses Agnus Dei (Länge 15 cm) wurde 1675 von Papst Clemens X. geweiht. Die Vorderseite (links) zeigt das Osterlamm. Es ruht auf einem Buch mit sieben Siegeln und trägt die Siegesfahne. Diese Darstellung ist Sinnbild für Opfertod und Auferstehung. Die Übersetzung der lateinischen Inschrift lautet: „Lamm Gottes, das die Sünden der Welt wegnimmt". Unter dem Lamm sind Papstwappen und Weihejahr eingeprägt. Die Frauenfigur auf der Rückseite stellt die heilige Pudentiana dar.

Nur der Papst war befugt, das Agnus Dei zu segnen; dies geschah jedes siebte Jahr.
Das echte Agnus Dei war kostbarer Besitz der Kirchen, Klöster und einflussreichen Personen. Manchmal wurden diese Amulette in winzige Stückchen aufgeteilt, in Reliquienkreuze, Kapseln oder Täschchen eingelegt und an die Gläubigen verkauft. In der Innerschweiz wurden diese Täschchen „Tüfelsjägerli" genannt. (46g)

Wachsfigurenkabinett und anatomische Wachsmodelle

Im 16. Jahrhundert entstanden zwei neue Zweige der Wachsbildnerei (Keroplastik): zum einen die öffentliche Zurschaustellung von Wachsfiguren und zum anderen das Herstellen anatomischer Wachspräparate.
Kaiser, Könige und Fürsten liessen sich, bisweilen noch zu Lebzeiten, naturgetreu in Wachs nachbilden und stellten ihre Büsten publikumswirksam auf. Diese „Modeströmung" nahm ihren Anfang in Paris und erinnert an die Funeralplastik der Römer. Im 18. Jahrhundert entstanden daraus die Wachsfigurenkabinette. Dort präsentieren sich lebensgrosse Wachsfiguren berühmter Persönlichkeiten oder schicksalhafte Szenen von Raub, Mord, Hinrichtung, Geburt und vom Sterben.
Madame Tussaud schuf 1835 in London das berühmte Wachsfigurenkabinett. Sie war selbst eine begabte Wachsbossiererin und hatte das Kunsthandwerk schon als Kind von ihrem Onkel, dem Berner Arzt und Wachsbossierer Philipp N. Curtius, gelernt. (18f)
Vom 16. Jahrhundert an wurden anatomische Wachsmodelle für die medizinische Ausbildung hergestellt. Sie dienten auch Künstlern als Modelle, und schliesslich waren die schauerlichen, naturalistischen Nachbildungen aufgeschnittener Menschenkörper grosse Attraktionen auf Jahrmärkten.

Abb. 62
Wachsfigurenkabinett, London
Als Madame Tussaud (1761–1850) 17 Jahre alt war, modellierte sie ihr erstes Wachsporträt. Es stellt Voltaire dar, drei Monate vor seinem Tod.

2 Kulturgeschichte der Honigbiene

Ab 1880 wurden gegossene Wachsmodelle erkrankter Körperteile „Moulagen" genannt. Die Moulagen wurden bemalt und mit Haaren versehen und ergaben naturgetreue Abbildungen. Bis um 1950 waren sie wichtige Medien für die Aus- und Weiterbildung an Hautkliniken und wurden dann durch die Farbfotografie abgelöst. Als medizinisch-historische Dokumente und für Lehrsammlungen sind Moulagen heute wieder gefragt. Sie bestehen zu 80 % aus reinem, gebleichtem Bienenwachs, weil sich mit keinem anderen Material die menschliche Haut so wahrheitsgetreu nachbilden lässt. (52)

Bildnisreliefs

Porträtmedaillons von Eltern, Kindern und Bekannten sowie Reliefbilder geschichtsträchtiger Szenen waren seit dem 16., besonders aber im 18. und 19. Jahrhundert sehr beliebt und zierten manche Biedermeierstube.

Im Verlauf des 19. Jahrhunderts verdrängte die aufkommende Fotografie die naturalistischen Bildarbeiten aus Wachs, und die Technik des Wachsbossierens verschwand zusehends. Manche Wachsbossierer jener Zeit gehörten zu den Pionieren der Fotografie.

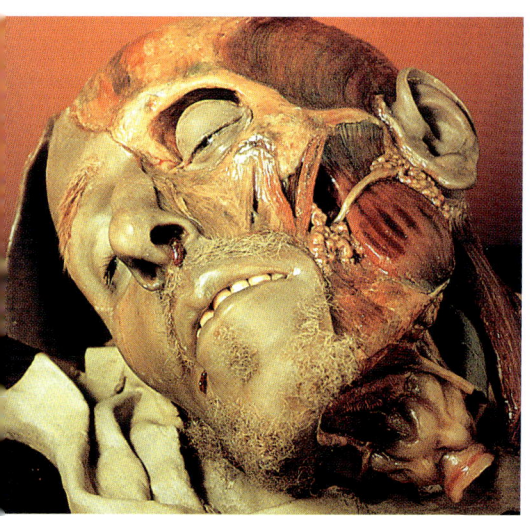

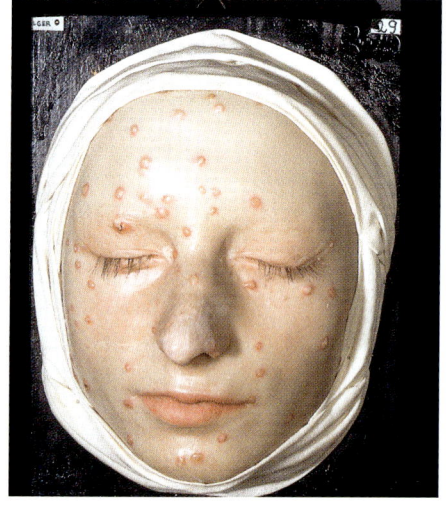

Abb. 63
Anatomisches Wachsmodell
Das Kopf-Präparat ist ein Werk des Wachsbossierers und Abtes Giulio Gaetano Zumba (1656–1701).

Abb. 64
Pockengesicht
Moulage eines Pockenopfers der Epidemie von Zürich 1921

Abb. 65
Reliefbild
Das Bildnis wurde 1831 von Xaver Heuberger aus Wachs gefertigt. Es hat einen Durchmesser von 19 cm. Heuberger (1758–1854) war ein bekannter Schweizer Wachsbossierer.

Plastische Bildhauerentwürfe

Lucian, ein griechischer Bildhauer und Schriftsteller des 2. Jahrhunderts n. Chr., schrieb über seine Kindheit: „... sobald ich von meinen Lehrern entlassen wurde, kratzte ich Wachs zusammen und machte Ochsen, Pferde, ja, Gott verzeih mir! sogar Menschen. Ich habe über dies Kinderspiel von meinem Lehrmeister manche Ohrfeige bekommen." (18b)

Kinder, Künstler und Bildhauer formen seit jeher Figuren aus Bienenwachs. Wachs eignet sich gut zum Modellieren, besonders von figürlichen Entwürfen. Leicht erwärmt ist es geschmeidig und lässt sich mühelos formen; bei Zimmertemperatur hingegen ist es hart und formstabil. Dann können selbst feinste Konturen eingeritzt werden, so zum Beispiel Haare oder Gesichtsfalten.

Abb. 66
Wachsbüste
Die Florabüste wurde um 1500 vermutlich von einem Mitarbeiter Leonardo da Vincis in Florenz geschaffen. Sie ist 68 cm gross und wurde in mehreren Schichten aus Wachs gegossen und bemalt.

Kulturgeschichte der Honigbiene

Abb. 67
Wachsfigur
Edgar Degas modellierte diese Tänzerin um 1890. Sie ist aus braunem Wachs und misst 57 cm.

Wachsausschmelzverfahren

Das Wachsausschmelzverfahren ist ein Giessverfahren, mit dem die Menschen seit über 4000 Jahren Gebrauchs-, Kunst- und Kultgegenstände aus Bronze herstellen. Das Wachsmodell wird von Hand geformt und sorgfältig mit einer Lehmschicht überzogen. Wenn diese trocken ist, wird das Wachs ausgeschmolzen und der nun freie Hohlraum mit flüssiger Bronze ausgegossen. Weil dabei das ursprüngliche Wachsmodell verloren geht, wird das Verfahren auch Technik der verlorenen Form genannt. (18g)

Abb. 68
Bronzepferd
Das griechische Bronzepferd wurde im 5. Jahrhundert v. Chr. nach dem Wachsausschmelzverfahren hergestellt. Die Wandstärke beträgt 3–11 mm.

2.4 Wachs in der Malerei

Enkaustik

Enkaustik ist eine ungefähr 2500 Jahre alte Maltechnik. Sie basiert vermutlich auf der noch älteren Technik der antiken griechischen Schiffsbemalung. Enkaustik leitet sich vom griechischen Wort „enkauston" ab und bedeutet „dem Feuer ausgesetzt sein".

Die Enkaustik setzt Wachs als Bindemittel der Farben ein. Das Wachs wird eingefärbt, mit Harzen oder anderen Stoffen versetzt und mittels eines Spachtels in weichem Zustand auf den Maluntergrund aufgetragen. Anschliessend wird das Gemälde durch Erwärmen (Einbrennen) nachbehandelt, was ihm einen tiefen Glanz und satte Farben verleiht.

Wachs widersteht der Einwirkung von Sonnenlicht, Sand, Wasser und Salz. Deshalb blieben die enkaustischen Bilder aus längst vergangenen Zeiten sehr gut erhalten. (18h)

Abb. 69
Mumienporträt einer jungen Frau
Diese enkaustische Malerei aus dem 1. Jahrhundert n. Chr. fand sich in der ägyptisch-griechischen Begräbnisstätte bei der antiken Stadt Philadelphia. Mumienporträts wurden mit gefärbtem Wachs auf die hölzernen Mumienhüllen oder Sargdeckel gemalt. Sie sollten bildlich darstellen, was ewig lebt. (18s)

Kulturgeschichte der Honigbiene

Abb. 70

Ikonenmalerei mit Wachsfarben

Auf der enkaustischen Ikone aus dem Kloster Sinai (6. Jh.) umgeben Heilige und Engel die Gottesmutter und ihr Kind. Ikonen sind „Fenster" ins Jenseits; sie sollen dem Gläubigen Einblick in die geistig-göttliche Wirklichkeit gewähren.

Auf der Grundlage der antiken griechischen Enkaustik und der ägyptischen Mumienporträtmalerei entstand die christliche **Ikonen-Malkunst.** Ikonen wurden im 1. Jahrtausend n. Chr. mit Bienenwachsfarben gemalt.

Ab dem 17. Jahrhundert beschäftigten sich viele Künstler mit der antiken Enkaustik. Die ursprünglichen Farbmischrezepte waren geheim oder gingen verloren. Die enkaustische Maltechnik mussten sich deshalb Kunstmaler und Chemiker späterer Zeiten mühsam neu erarbeiten. Zu Beginn des 20. Jahrhunderts schlossen sich in Europa rund dreissig Maler zu einer Enkaustiker-Gilde zusammen, um die antike Maltechnik wiederzuerwecken und weiterzuentwickeln. (18i)

Abb. 71
Enkaustische Malerei
Arnold Böcklin malte 1859 in enkaustischer Maltechnik ein altgriechisches Frauenporträt.
Als Modell diente ihm eine Marmorbüste der griechischen Dichterin Sappho, die um 600 v. Chr. lebte.

Batik
Der Begriff „Batik" stammt aus Java (Indonesien) und bezeichnet eine uralte Technik der Stoffmalerei, bei der Bienenwachs als Hilfsmittel eingesetzt wird. Mit flüssigem Wachs werden Ornamente oder Bilder auf Stoff gemalt. Nach dem Färben des Stoffes wird das Wachs weggeschmolzen. Die mit Wachs „reservierten" Stellen bleiben ungefärbt; deshalb wird diese Stoff-Färbtechnik „Reserveverfahren" genannt. Die Technik verbreitete sich weltweit. (18t)

2.5 Wachs in der Technik

Imprägnieren, abdichten, kitten
Die chemische Beständigkeit des Wachses gegenüber Wasser, Luft, Salz und Licht nutzten Griechen, Römer und Wikinger beim Schiffsbau. Sie dichteten die Ritzen der Schiffsplanken mit Wachs ab, imprägnierten die Schiffswände mit heissem Bienenwachs, das sie teils mit Baumharzen oder Pech versetzten, und bemalten die Schiffe mit Wachsfarben. (63d) Nicht nur Schiffe, sondern auch Tempelgebälk, Marmorstatuen, Wände und Holzgeräte überzogen die Griechen und Römer mit farblosem oder eingefärbtem Wachs, um sie vor Korrosion und Licht zu schützen. Zudem verlieh das Wachs der Oberfläche einer Marmorstatue einen weichen Glanz, der die Schönheit des Werkes zusätzlich unterstrich. (18j)
Bienenwachs ist auch heute ein wichtiger **biologischer Schutzstoff** für Leder, Holz, Stein, Metall und Papier.

Kulturgeschichte der Honigbiene

Schreibgrund und Tonträger

Bienenwachs lässt sich ritzen. Dank dieser Eigenschaft diente Wachs in der Menschheitsgeschichte rund 2000 Jahre als **Schriftgrund**. Holz- oder Elfenbeintafeln wurden mit einer dünnen, rot oder schwarz eingefärbten Wachsschicht überzogen und Buchstaben, Zahlen oder Zeichnungen mit einem Griffel eingeritzt. Mit dem spachtelartigen, flachen Ende des Griffels konnte das Geschriebene geglättet (ausgelöscht) werden. (63e) Das Beimischen von Harzen härtete das Wachs, Öle hingegen machten es weich. Harter Schreibgrund fand Verwendung für wichtige, dauerhafte Dokumente wie zum Beispiel Verträge; kurzlebige, alltägliche Notizen wurden in weiches Wachs eingeritzt, das sich leicht glätten und mehrfach gebrauchen liess.

Abb. 72
Wachsschreibtafeln
Die Wachsmalerei (Fresko) aus Pompeji entstand im 1. Jahrhundert n. Chr.
Die junge Pompejanerin hält ein vierteiliges Buch (Tetraptychon) aus Wachsschreibtafeln.

Abb. 73
Gerichtsbuch von Danzig
Das Gerichtsbuch aus dem 14. Jahrhundert umfasst 15 Wachstafeln. Jede Tafel wird durch eine feine Holzleiste geteilt. Grösse: 38,6 x 19,3 x 11,5 cm.

Wachsschreibtafeln wurden nachweislich vom 5. Jahrhundert v. Chr. bis ins hohe Mittelalter verwendet. Ab 1600 ist Papier der vorherrschende Schriftträger. Die letzten Wachstafeln beritzten Marktfahrer 1862 auf dem Fischmarkt von Rouen. (18k)

Um 1885 erfanden die Amerikaner Bell, Tainter und Edison die ersten Grammofone. Sie wurden ursprünglich Grafofone genannt. **Tonträger** war eine Bienenwachsmischung, die auf einen Zylinder aus Karton oder Holz aufgetragen wurde. (42)

2.6 Wachs als Lichtträger

Geschichtlicher Hintergrund

Seit Jahrtausenden ist die Bienenwachskerze Lichtquelle und Symbolträgerin. Das Leben galt früher als heiliges Licht, das bei der Geburt aufflammt und beim Tod erlischt. (18m) Wachslichter wurden den Göttern geweiht. Bei den Römern gehörten sie sowohl zum Totenkult wie auch zu den Saturnalien. Saturnalien waren fröhliche Feiern, die zwischen dem 17. und 23. Dezember stattfanden. Es wurden Geschenke ausgetauscht und Honigkuchen gegessen. Gemäss einem Brauch überreichten die Sklaven ihren Herren als Zeichen der Hingabe *cerei* (Kerzen). Diese *cerei* waren von Wachs ummantelte Rohrkolben, Binsen oder Papyrusstengel. Sie entsprachen also eher einer Fackel. (46h) Kerzen mit Docht, wie wir sie heute kennen, entstanden wahrscheinlich in den ersten Jahrhunderten n. Chr. (18l)

Bis ins späte Mittelalter wurden als Lichtquelle im Alltag Kienspäne, Fackeln, Öllampen und Talgkerzen benutzt. Das kostbare Bienenwachs war für den Kult vorbehalten. Selbst in Fürstenhäusern und Klöstern waren Kerzen bis ins 14. Jahrhundert Luxusgüter. Erst später, vom 17. bis ins 19. Jahrhundert, wurde viel Wachs abgebrannt; insbesondere an den grossen königlichen Festen und in den reichen Bürgerhäusern.

Abb. 74
**Kienspanbeleuchtung
(Holzschnitt, 16. Jh.)**
Damit die Hände für die Arbeit frei bleiben, tragen die Bauersleute den Kienspan im Mund. Die Spinnerin (rechts im Bild) hat sich Reservespäne griffbereit in den Gürtel gesteckt.

Kulturgeschichte der Honigbiene

Kerzen im Kult

Im 1. und 2. Jahrhundert n. Chr. war Kerzenschein im christlichen Gottesdienst verboten. Die Lichtsymbolik wurde noch zu stark mit Götterglaube und Kaiserkult verbunden. Doch allmählich wandelte sich das Kerzenlicht zum Sinnbild des neuen Glaubens: Die hingebungsvolle Liebe Christi wurde mit der sich selbst verzehrenden Flamme der Kerze gleichgesetzt.

Die Kirchenväter des 4. und 5. Jahrhunderts haben die Beziehung zwischen Licht und Heiliger Schrift stets betont: Im Evangelium strahlt Licht aus der Finsternis, erhellt die Herzen und bringt Leben und Unsterblichkeit. Christus kam als Licht der Welt und machte die Menschen zu Kindern des Lichtes (→ S. 50).

Im 7. und 8. Jahrhundert hatte sich der Kerzenkult in der Kirche voll entfaltet. Die Bienenwachskerze war zur bevorzugten Weihgabe der Gläubigen geworden. Die Wunder wirkende Kraft von geweihten Kerzen oder von deren Wachsstückchen wurde immer wieder bezeugt. (18o)

Osterkerze

Eine besondere Stellung nimmt seit dem 4. Jahrhundert die Osterkerze ein. In der Osternacht wird sie mit dem aus einem Stein geschlagenen Feuer entzündet. Sie symbolisiert den auferstandenen Christus, der das Licht und durch sein Opfer das Heil der Welt ist. (18v) Den Kirchenvätern des ersten Jahrtausends war die Symbolik der Osterkerze sehr wichtig. Wachs und Biene wurden in die österlichen Lobgesänge mit einbezogen (→ S. 49).

Im katholischen Brauchtum entstand während des Mittelalters eine grosse Fülle an Kerzentypen; es gab zum Beispiel: Geburtstags-, Tauf-, Kommunions-, Konfirmations-, Hochzeits-, Krankensalbungs-, Sterbe-, Begräbnis- und Grabkerzen; dann Advents-, Weihnachts-, Lucia- und Lichterschwemmkerzen; ferner Altar-, Evangeliums-, Wandlungs-, Prozessions-, Weihe- und Gebetskerzen; schliesslich Wetter-, Zeitbestimmungs-, Kirchenbann-, Buss-, Zunft-, Spital- und Herbergskerzen und viele andere. (18p)

Abb. 75
Osterkerzen

Sie stammen aus dem 10. bis 13. Jahrhundert und wurden aus Exultetrollen nachgezeichnet. Die Osterkerzen waren im Mittelalter oft 33 Pfund schwer. Damit wurde an das Lebensalter Christi erinnert.

Kerzen im Alltag

Durch den Protestantismus wurde die Verwendung von Kerzen im Kult drastisch eingeschränkt. Mit dem aufkommenden Buchdruck aber gewann die Bienenwachskerze im Alltag rasch an Bedeutung. Auch beim Schuster, Schneider, Schreiber und in anderen Gewerben waren Wachskerzen sehr gefragt.

Vom 16. bis ins 20. Jahrhundert war der **Wachsstock** ein weit verbreitetes Beleuchtungsmittel. Er bestand aus einem langen, dünnen Docht, der mit einer feinen Wachsschicht überzogen war. Diese Wachsschnüre rollte der Wachszieher kunstvoll zu verschiedenen Formen zusammen. Wachsschnurkerzen waren buch-, zylinder-, kegel-, kranz- oder bienenkorbförmig und wurden für besondere Anlässe mit farbigen Wachsblumen- oder Heiligenbildern verziert (→ S. 70, 71).

Der Wachsstock war nicht nur wichtige Lichtquelle im Alltag; in katholischen Gegenden, vor allem in Süddeutschland und Österreich, war er in den Lebens- und Jahreslauf eingebunden. Prächtig verzierte Wachsstöcke gehörten in Niederbayern zur Brautausstattung. Sie brannten an der Hochzeit, nach der Geburt jedes Kindes und am Sterbebett.

An Lichtmessen (katholische Feier am 2.2.) wurden Wachsstöcke aus rotem Wachs geweiht. Sie schützten Haus, Hof und Familie vor Unglück. Seit dem 12. Jahrhundert opferten einige Städte ihrem Heiligen und Schutzpatron riesige Wachsstöcke; die Länge der aufgerollten Wachsschnur entsprach jener der jeweiligen Stadtmauer. Während der Belagerung durch Heinrich II. von England im Jahre 1183 beispielsweise opferte die französische Stadt Limoges ihrem Schutzpatron eine Kerze von 3300 m Länge. (18r)

Die heutigen schlanken Kerzchen der Geburtstagskuchen erinnern an die jahrhundertealte Tradition der Wachsschnurkerzen.

Abb. 76

Franz Wimmer legt Wachsstöcke, 1982

Ganz vergessen ist das jahrhundertealte Kunsthandwerk der Wachsstockfabrikation zum Glück noch nicht. Bis zur Elektrifizierung um 1950 erhellten die sparsam und sauber brennenden Wachsstöcke die Bauernhäuser in den abgelegenen Waldgebieten Österreichs. Heute kaufen Touristen und Liebhaber diese Wachsstöcke. (46j)

2 Kulturgeschichte der Honigbiene

Abb. 77
Geflochtener Wachsstock, um 1910
Dank des geringen Durchmessers (max. 8 mm) tropft der Wachsstock weniger als andere Kerzen. Zudem kann er auch ohne Kerzenhalter hingestellt werden; er brennt lange und ist doch klein und handlich zum Mitnehmen: eine „Taschenlampe" aus Wachs.

Abb. 78
Nachtlicht, um 1900
Die Kerze brennt nur bis zur Klemme am Wachsstockhalter und löscht dann „automatisch" aus. Solche Wachsstockhalter wurden auch zur Messung von Zeitspannen benutzt.

Abb. 79
Wachszieher an der Kerzenzugmaschine
Mit dieser Maschine stellten die „Kerzler" oder „Wachsler" die Endlos-Kerzenschnüre für die Wachsstöcke her. Auf die beiden Trommeln wurden der Docht und der allmählich dicker werdende Kerzenstrang wechselweise aufgewickelt. Zwischen den Trommeln stand der Werktisch mit einer Wachspfanne. Eine Wärmequelle unter der Pfanne hielt das Wachs flüssig. Der Docht wurde langsam durch das Wachsbad gezogen und durch ein rundes Zieheisen geführt, das der wachsenden Kerzenschnur eine regelmässige Dicke verlieh.
Links im Bild hängen lange Altarkerzen. Sie wurden durch Angiessen hergestellt. (18u)

Abb. 80
Ausschnitt aus dem Gemälde „Heilige Nacht" von Barthel Bruyn d. Ä. (1493–1555)
Der lesenden Frau in der Kirche spendet der Wachsstock in Buchform Licht. Die Gläubigen brachten ihre Kerzen mit zur Kirche. Diese erstrahlte im sanften Kerzenlicht und war erfüllt vom Geruch des brennenden Bienenwachses.

Abb. 81
Wachsbleichanlage, 17. Jahrhundert
Für viele kultische Kerzen bevorzugte die Kirche bis zu Beginn des 20. Jahrhunderts reines, weisses Bienenwachs. Es war meist Aufgabe der Wachszieher, das gelbe Bienenwachs zu bleichen. Dies geschah auf natürliche Weise, mit Hilfe von Sonne, Wasser und Luft. In den Gärten der Wachszieher wurden Wachshobelspäne auf grosse, leinenbespannte Hurden ausgelegt. Während 2 bis 6 Wochen mussten sie ständig gewendet, vor Windböen geschützt oder bei grosser Hitze mit Wasser besprüht werden. Gebleichtes Bienenwachs war etwa doppelt so teuer wie ungebleichtes.

3. Geschichte der europäischen Bienenhaltung und -forschung

Matthias Lehnherr
Hans-Ulrich Thomas

„Eine Wissenschaft kennt der nicht, welcher ihre Geschichte nicht kennt." (Ludwig Armbruster) (6).
Dank der wissenschaftlichen Forschung über Bienen konnten viele grundlegende Fragen der Biologie geklärt werden. Karl von Frisch summierte diese Erkenntnis im Satz:
„Die Bienen sind wie ein Zauberbrunnen. Je mehr man aus ihm schöpft, desto reicher fliesst er."
Geschichtsquellen über das Imkerhandwerk bezeugen, dass die Imker von der Zeit Aristoteles' bis ins hohe Mittelalter über ein erstaunlich grosses Wissen und Können verfügten. Viel davon ging im Laufe der Zeit verloren und wurde später wiederentdeckt. Häufig werden die technischen Errungenschaften des 19. Jahrhunderts, wie zum Beispiel die Erfindung des mobilen Wabenbaus, als Höhepunkte der imkerlichen Geschichte dargestellt. Alles, was vorher war, wird oft belächelt oder als minderwertig empfunden. Doch diese Sichtweise ist einseitig.

3.1 Honigernte in der Jungsteinzeit

Abb. 82

Felsmalerei

In der „Spinnengrotte" (Cueva de la Arana) bei Valencia (Spanien) wurde 1921 eine Felsmalerei entdeckt, die bezeugt, dass im europäischen Raum seit der Jungsteinzeit Honig von wilden Bienenvölkern geerntet wurde.
Die Felsmalerei entstand ungefähr um 10 000 v. Chr. Mit einem Korb ausgerüstet klettert eine Honigsammlerin an einer Strickleiter empor, um an das Bienennest in der Felsnische zu gelangen.

Honigjäger der Neuzeit

Nicht nur in grauer Vorzeit gab es Honigjäger, es gibt sie heute noch. Bekannt sind vor allem die in den Ausläufern des Himalajas lebenden Gurung. Sie ernten das Wachs und den Honig der Riesenhonigbiene *Apis dorsata* aus hohen, steilen Felswänden heraus.

Auch in Afrika hat die Bienenhaltung vielerorts ihre ursprüngliche Form bewahrt. In einigen Gebieten besteht eine faszinierende Symbiose zwischen Honigjägern und Vögeln, den so genannten „Honiganzeigern" *(Indicator indicator)*. Sucht der Honigjäger ein Wildbienennest, so macht er einen Honiganzeiger mittels Pfeifen, Lockrufen und Klopfen an Bäume auf sich aufmerksam. Wenn der Vogel ein Bienennest kennt, führt er den Honigjäger dorthin. Dabei fliegt der Vogel kurze Strecken voraus oder hüpft von Ast zu Ast und gibt spezifische Laute von sich. Wissenschaftliche Untersuchungen haben gezeigt, dass dieses Verhalten sogar Informationen über die Distanz zum Bienennest vermittelt. (35) Als Dank hinterlassen die Honigjäger oft Wabenreste, an denen sich der Vogel gütlich tut. Ob dieser auch Tiere, wie beispielsweise den Honigdachs, zu Bienennestern führt, wurde bisher nicht eindeutig nachgewiesen.

Abb. 83
Honigjagd in Nepal
Die Honigjäger der Gurung sind geschickte Kletterer. Aus schwer zugänglichen Felswänden holen sie Honig- und Brutwabenstücke herunter. Die Bienen werden mit Rauch von der Wabe vertrieben. Strickleiter, Bambusstangen und Körbe zum Auffangen der Wabenstücke sind die Hilfsmittel der Gurung-Honigjäger.

Kulturgeschichte der Honigbiene

3.2 Bienenhaltung der alten Völker

Es lässt sich heute nicht nachweisen, wann die Menschen anfingen, Bienen zu halten. Vermutlich geschah es, nachdem sie vor ungefähr 12 000 Jahren sesshaft geworden waren. (57b) Die ältesten schriftlichen Zeugnisse längst vergangener Kulturen belegen stets das Dasein und die Nutzung der Honigbienen. Honigjagd und Bienenhaltung wurden oft gleichzeitig betrieben.

Ägypten

Abb. 84

Alabastervase aus Ägypten, um 2500 v. Chr.

Die Vase trägt die Namensinschrift des Pharaos Nefer-ir ka-Rê. Die oberste Hieroglyphe stellt eine Biene dar. Die Biene war für die Ägypter ein göttliches Tier (→ S. 41) und deshalb auch Zeichen des Pharaotitels. Bienenhieroglyphen sind auch an Tempeln, Gräbern und Monumenten zu finden. (7)

Abb. 85

Wandmalerei von Rekhmire bei Luxor (1450 v. Chr.)

Auf einer grossen Wandmalerei im altägyptischen Grab einer wohlhabenden Persönlichkeit wurde auch eine Imkerszene dargestellt: Während ein Imker einen Raucher mit drei Kaminen bereithält, bricht der andere die kreisrunden Honigwaben von hinten aus der Röhrenbeute heraus. Der Honig oder die Honigwaben werden von Helfern in verschiedene Krüge abgefüllt.

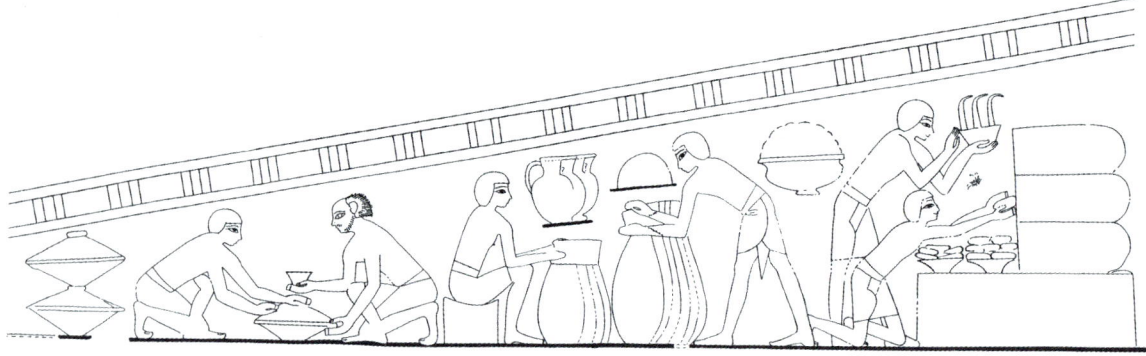

Im alten Ägypten ist die Bienenhaltung seit 2400 v. Chr. schriftlich belegt: Auf der grossen Papyrusschriftrolle Har werden bedeutende Mengen von Honig und Wachs erwähnt. (1) Diese Produkte gehörten nebst Weihrauch und Öl zu den Tempeleinkünften und wurden als Opfergaben verwendet. Die Bauern entrichteten einen Teil ihrer Steuern in Form von Honig. Auf einer Papyrusrolle aus dem 3. Jahrhundert v. Chr. beklagten sich Imker in einer Petition über einen Beamten, der ihre Maultiere konfisziert hatte und sie damit der Möglichkeit beraubte, die Bienenstöcke nach der Wanderung nach Hause zu transportieren. (41a)

Als Bienenbehälter dienten lange Röhrenbeuten aus Ton (Nilschlamm) oder aus Rutengeflecht, das mit Nilschlamm beschmiert worden war. Die Beuten konnten gestapelt werden. Zur Honigernte und zur Völkerkontrolle wurden sie von hinten geöffnet. (7)

Abb. 86
Traditioneller Bienenstand in Ägypten (Assiut)
Während 5000 Jahren hat sich die Art der Bienenhaltung kaum verändert. Röhrenbeuten (auch Tunnelstock oder Walze genannt) sind ungefähr 120 cm lang und weisen einen Durchmesser von 15 cm auf. Erst in neuster Zeit wurden die Röhrenbeuten durch Magazinbeuten ersetzt.

Altes Griechenland

Der griechischen Hochkultur haben wir viel zu verdanken, zum Beispiel auch unser Alphabet. Über die Bienenzucht jener Zeit ist jedoch nur wenig bekannt. Aus den Dichtungen Homers und Hesiods (beide ca. 850 v. Chr.) geht aber hervor, dass Bienen gehalten wurden und sowohl Honig als auch Wachs wichtige Güter des Alltags und des Kultes waren. Die Hellenen betrieben regen Wachshandel. Wachs wurde zu Fackeln *(kerion)* und zu Schreibtafeln verarbeitet. Zudem diente es als Konservierungs-, Färb- und Glanzmittel von Statuen und Tempelgebälk. Honig und Wachs waren Bestandteile zahlreicher Heilmittel (→ S. 54).

Im 5. Jahrhundert v. Chr. war die Gegend zwischen Athen und dem Berg Hymettos „mit Bienenstöcken übersät". Ein griechischer Schriftsteller sagte: „Der Hymettosberg träufelte von Honig so süss wie Ambrosia und Nektar" (Ambrosia und Nektar = Getränk der Götter). (16b)

Als Bienenbehälter dienten damals vermutlich liegende und stehende Tonkrüge oder Röhrenbeuten aus Rutengeflecht.

2 Kulturgeschichte der Honigbiene

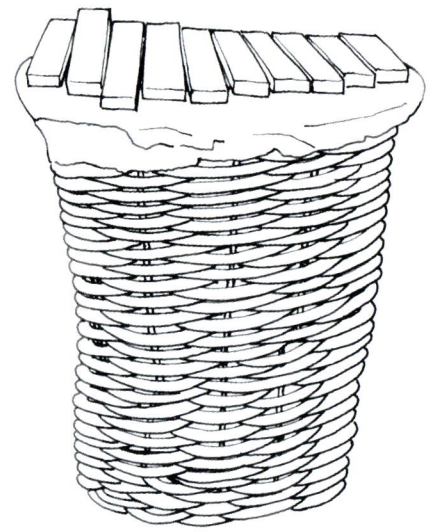

Abb. 87–89

„Vraski", traditionelle Beuten in Griechenland

Tontopf und Rutenkorb sind Beutentypen, die vermutlich seit 3000 v. Chr. verwendet werden (5). Die aufrecht stehenden, konischen Gefässe, „vraski" genannt, ermöglichten bereits den Griechen beweglichen Wabenbau, denn in konischen (sich nach unten verjüngenden) Gefässen bauen die Bienen ihre Waben an den Seitenwänden nicht an. Oben auf die Gefässe legten die Imker Holzleisten, und daran bauten die Bienen ihre Waben. Steinplatten oder Tonteller schützten die „vraski" vor Wind und Wetter.

Die Anfänge der Insektenforschung

Die Entstehung der griechischen Schrift um etwa 800 v. Chr. wandelte das Denken und die Wahrnehmung der Menschen. Nun konnten Erfahrungen und Wissen festgehalten, über Generationen hinweg gesammelt und systematisch geordnet werden. Einer der ersten grossen Naturforscher war **Aristoteles** (384–322 v. Chr.). Er wurde an der Schule Platons unterrichtet, war Erzieher Alexander des Grossen und gründete schliesslich eine Schule in Athen. Seine Schriften umfassen das ganze Wissen jener Zeit. Die zoologischen Abhandlungen stellen nur einen kleinen Teil des Gesamtwerkes dar. Aristoteles bearbeitete verschiedene Tiergruppen systematisch, so auch die Insekten: Er beschrieb den äusseren Bau und die Sinnesorgane, die Lauterzeugung, Reproduktion und Entwicklung sowie deren „geistige Fähigkeiten". (17a) Bei den Bienen interessierte sich Aristoteles für die geheimnisvolle Fortpflanzung und die Entwicklung der Brut. Dort, wo er keine direkten Beobachtungen anstellen konnte, sah er sich jedoch zu Spekulationen gezwungen. So blieb für Aristoteles zum Beispiel die Herkunft der Brut unklar. Er vermutete anfänglich, die Bienen würden die Brut auf den Blüten einsammeln. Zwar vertrat er diese Ansicht in späteren Schriften nicht mehr, doch er scheint nie eine Königin beim Eierlegen beobachtet zu haben. Die Entwicklung der Brut von der Made bis zur schlüpfenden Jungbiene hingegen beschrieb er präzise. Aristoteles gelang es auch nicht, die Geschlechter der Bienen zu bestimmen. Die stachellosen Drohnen waren für ihn keine Männchen, weil er die Waffe im Tierreich als männliches Merkmal betrachtete. Entsprechend erkannte er auch die stachelbewehrten Arbeiterinnen nicht als Weibchen, obwohl sie die Brut pflegten. Aristoteles wusste hingegen, dass die Arbeiterinnenbrut nur aus der Königin hervorgeht. Dabei berief er sich wiederholt auf das Wissen der Imker, das er zu erwähnen nie müde wurde. (8)

Das neunte Buch der Tiergeschichte enthält einen ausführlichen Bericht eines erfahrenen Imkers, der unbekannt blieb und heute **Pseudo-Aristoteles** genannt wird. Er vermochte sein umfassendes biologisches Wissen und imkerliches Können leicht verständlich wiederzugeben. Auch liess er sich nicht durch Aristoteles' Meinung beirren, sondern vertraute stets den eigenen Beobachtungen. Ihm war unter anderem bekannt:

- dass in einem Bienenstock normalerweise nur eine Königin (ein weibliches Wesen) lebt,
- dass das Volk zu Grunde geht, wenn die Königin stirbt und keine neue nachgezogen werden kann,
- dass bei Weisellosigkeit Buckelbrut entsteht, die von Arbeiterinnen stammt,
- dass die Bienen nur Weiselzellen errichten, wenn reichlich Brut vorhanden ist,
- dass innerhalb und ausserhalb des Bienenstockes Arbeitsteilung herrscht,
- dass im Winter das Brutgeschäft etwa 40 Tage ruht,
- dass Schädlinge starken Völkern wenig anhaben können, u. a. m. (9)

Viel von diesem Wissen ging später verloren, bis es zu Beginn der Neuzeit wieder entdeckt wurde (→ S. 87 f.).

Bienenhaltung im alten Rom

Im alten Rom waren Wachs und Honig ähnlich beliebt wie bei den Griechen. Beides fand Verwendung in Alltag, Handwerk und Kult. Die Römer importierten grosse Mengen an Wachs, vor allem aus den tributpflichtigen Kolonien. Aus Wachs wurden Fackeln, Ahnenbilder, Zierfrüchte und -kränze, Schreibtafeln und medizinische Präparate hergestellt (→ S. 54). Das **Imkerhandwerk** war hoch angesehen. Es gab viele Berufsimker. Sowohl Sklaven als auch vornehme Gutsbesitzer betrieben Bienenzucht. Schriftliche Zeugnisse aus römischer Zeit beschreiben eingehend die Imkertechnik und Betriebsmittel, die den regionalen Verhältnissen angepasst waren. Plinius Secundus (23–79 n. Chr.) zum Beispiel schrieb zur Über- und Auswinterung: „(…) Im Winter bedeckt man die Stöcke mit Streu und beräuchert sie häufig, namentlich mit Rindermist. Dieser mit den Bienen verwandte Stoff tötet die in den Stöcken entstehenden kleinen Tierchen, wie Spinnen, Schmetterlinge (Motten), Holzwürmer, und regt die Bienen ihrerseits an. (…) Die Motten beseitigt man im Frühjahr, wenn die Malve reift, dadurch, dass man bei Neumond und unbewölktem Himmel nachts Lampen vor den Stöcken anzündet. Die Motten fliegen dann in die Flamme hinein." (17b) Über den Standort des Bienenstandes schrieb Columella (1–68 n. Chr.), ein anderer berühmter römischer Schriftsteller: „Der Bienenstand muss so aufgestellt werden, dass er auch im Winter Mittagssonne hat, fern von Geräusch und vom Verkehr von Menschen oder Vieh, weder an einer warmen noch kalten Stelle (…). Der Stand liege in einem Talgrunde, damit die Bienen, wenn sie unbeladen zum Futterholen ausfliegen, ohne Mühe die Hänge emporfliegen und, wenn sie nach dem Einsammeln beladen sind, mühelos bergab fliegen können (…)." Zum Beutenbau empfahl er unter anderem: „Man stelle die Beuten je nach der Eigenart der Gegend her. Bringt diese Korkeichen hervor, so werden wir die Beuten am vorteilhaftesten aus ihrer Rinde fertigen. (…) Sind reichlich Gerten *(Ferula communis)* vorhanden, so kann man auch aus diesen gleich gut die Wohnungen bauen. Sind keine der beiden Stoffe zur Verfügung, so wird man Beuten aus Weidenruten nach Korbmacherart flechten (…) oder sie aus dem Holz eines ausgehöhlten Baumes oder aus gesägten Brettern herstellen." (17c) Gemäss diesen Zeilen verwendeten die Römer als Bienenbeuten sowohl liegende Röhrenbeuten (Tunnelstöcke) als auch stehende Hohlklötze und Rutenkörbe. Laut anderen Schriften konnten die Beuten der Volksentwicklung angepasst werden, indem Ringe oder Rahmen aufgesetzt wurden.

Abb. 90
Traditioneller Ferula-Stand in Sizilien
Mit solchen Lagerstöcken wurde schon im alten Rom geimkert. Die Beuten werden aus den getrockneten Blütenstängeln der Ferula-Staude gefertigt und in halb offenen Bienenständen gestapelt. Sie sind leicht und handlich und werden zur Honigentnahme und zur Ablegerbildung an den Stirnseiten geöffnet. Durch die Varroamilbe ist diese traditionelle Imkertechnik fast vollständig zerstört worden.

Geschichte der europäischen Bienenhaltung und -forschung

3.3 Hochblüte der Bienenhaltung im Mittelalter (300–1500 n. Chr.)

Die ältesten Zeugnisse frühmittelalterlicher Bienenhaltung in Mitteleuropa finden sich in Gesetzessammlungen aus der Zeit um 400–700 n. Chr. Eigentums-Gesetze regelten die Strafen für Bienendiebstahl oder -schädigung. Aus dem Burgunden-Recht (470 n. Chr.) zum Beispiel geht hervor, dass ein Bienenvolk gleich viel Wert hatte wie eine Kuh oder ein Schwein. Im sächsischen Recht (800 n. Chr.) wurde Bienendiebstahl unter Umständen sogar mit dem Tode bestraft. Diese Strafmasse bezeugen den hohen Stellenwert, den die Bienenhaltung damals einnahm. Weiter ist den Gesetzen zu entnehmen, dass zu Beginn des Mittelalters sowohl die Bienenhaltung in Klotzbeuten und Strohstülpern als auch die Honigjagd und die Waldbienenzucht (→ S. 83–84) weit verbreitet waren. (17d)

Karl der Grosse (768–814 n. Chr., römischer Kaiser und König der Franken) erliess wirksame Gesetze zur Förderung der Bienenhaltung. Auf jedem kaiserlichen Landgut mussten zum Beispiel Bienen gehalten und von einem ausgebildeten Imker betreut werden. Die Bienenhaltung verdankt ihren grossen Aufschwung im Frühmittelalter in erster Linie der **Kirche**. Um 400 n. Chr. wurde das Bienenwachs in den Kreis der „heiligen Stoffe" aufgenommen und der Gebrauch von reinen Bienenwachskerzen im Gottesdienst vorgeschrieben. Für die Kirchenväter symbolisierte der Bienenstock die Kirche. Das Wachs, das die „jungfräuliche Biene" aus sich hervorbrachte, war Sinnbild für Christus, den die Mutter Maria jungfräulich gebar (→ S. 48).

Abb. 91
Imkerszene aus Süditalien, 11. Jahrhundert
Im Mittelalter und auch früher schon dienten waagrecht liegende Röhrenbeuten (Walzen) und Bretterkästen (Lagerstöcke) als Bienenbehausungen. Die Beuten konnten an den Stirnseiten geöffnet werden. Oben im Bild ist ein Schwarm mit Bienenkönigin dargestellt.
Das Bild stammt aus einer Exultetrolle, die während der Liturgie vor den versammelten Gläubigen entrollt wurde. Der Text war seitenverkehrt auf die Rolle geschrieben worden, damit er vom Priester, der vor den Gläubigen stand, vorgelesen werden konnte.

Kulturgeschichte der Honigbiene

Der Verbrauch an Wachs erhöhte sich von Jahrhundert zu Jahrhundert. In den Kirchen brannten Tag und Nacht Wachslichter. Zu Ostern wurden mächtige Osterkerzen entzündet, und an Feiertagen erhellte ein Lichtermeer die Klosterkirchen. So wurde berichtet, dass in der Wittenberger Schlosskirche kurz vor der Zeit Luthers jährlich 36 000 Pfund Kerzen abgebrannt worden seien. Der Wachspreis kletterte in die Höhe, die Bienenhaltung florierte, Klöster und Grossgrundbesitzer erhoben Wachszinse, und zeitweise ersetzte Wachs sogar Geld.

Ausserdem konnten Strafen mit Wachs abgegolten werden. Kleinbauern, die einem Kloster oder Gutsherrn untertan waren und ihren Zins in Form von Honig und Wachs bezahlten, wurden „Wachszinsler" genannt und erhielten im Laufe der Zeit von ihren Herren eigene Rechte, womit die Wachsproduktion gesichert und die Arbeit der Imker und Wachsproduzenten geschützt wurde. Diese Entwicklung führte im 12. Jahrhundert zu neuen Berufen: den Wachsgiessern, Lebzeltern (Honigkuchenbäckern), Met- und Seifensiedern.

Abb. 92
Lebkuchenbäckerei, Kupferstich (1698)
Die Lebzelter stellten jenes süsse Gebäck aus Honig, Mehl und Gewürzen her, das schon die Griechen ihren Göttern geopfert hatten und das bis heute in fast allen Ländern Europas auf charakteristische Art hergestellt und verziert wird (Zürcher Tirggel, Basler Leckerli, Aachener Printen u.a.) (46k).

Älteste Zeugnisse auf Schweizer Boden

Nach einer Legende zog der heilige Gallus einem verwundeten Bären einen Dorn aus der Tatze, und das dankbare Tier führte ihn darauf zu einem Bienennest voller Honig. Die Legende könnte darauf hinweisen, dass der heilige Gallus unter anderem das Können der Bienenhaltung mitbrachte und verbreitete. Tatsächlich stammen die ersten schriftlichen Zeugnisse über Bienen, Honig und Wachs aus dem Kloster St. Gallen. Es sind Urkunden aus dem Jahre 800, die das klösterliche Wirtschaftsleben schildern und ein Verzeichnis über Honig- und Wachsabgaben enthalten. Ungefähr um 960 schrieben Mönche des Klosters einen Schwarmsegen nieder, der die Bienenhaltung bezeugt:

„Ich beschwöre dich, Mutter der Bienen, bei Gott, dem Könige des Himmels, und bei dem Erlöser, dem Sohne Gottes, dich beschwöre ich, dass du dich nicht in die Höhe erhebest, noch weit wegfliegest, sondern dass du so schnell wie möglich zu dem Baum kommest, dich dort setzest mit deiner ganzen Sippschaft oder mit deiner Gefährtin. Dort habe ich einen guten Behälter bereitet, damit ihr dort in Gottes Namen arbeiten möget und wir in Gottes Namen Lichter machen können in der Kirche Gottes und durch das Verdienst unseres Herrn Jesus Christus." (57c)

Dieser Segen lässt vermuten, dass den damaligen Mönchen Geschlecht und Aufgabe der Bienenkönigin bekannt waren.

Imkerpraxis im Mittelalter

Im Jahr 1568 kam in Görlitz (Schlesien) das erste deutschsprachige Bienenbuch heraus. Es trug den Titel: „Gründlicher und nützlicher Unterricht von den Bienen und ihrer Wartung, im Glogauischen Fürstentum, aus eigener Erfahrung zusammengetragen von Nikel Jacob, Mittbürger zu Sprottau".

Nikel Jacob (1505–1576) lernte den Umgang mit Bienen vom Grossvater und Vater. Auf seiner fünfjährigen Wanderschaft als Kürschnergeselle verglich er die regionalen Imkertechniken. Sein Buch war ein grosser Erfolg und erschien in mehr als 15 Auflagen, wobei der Inhalt leider durch spätere Autoren oft verwässert und verfälscht wurde. (53a) Jacob beschrieb in seinem Buch:

– Ablegerbildung und Einsetzen von junger Brut in weisellose Völker (er wusste, dass die Bienen aus gewöhnlicher Arbeiterinnenbrut neue Königinnen nachziehen können)
– Zusetzen von Königinnen
– Vereinigen von Völkern unterschiedlicher Stärke
– Fütterungsmethoden mit Honigwasser
– Sanierungsmassnahmen bei Faulbrut

Das Geschlecht und die Aufgaben von Königin, Arbeiterinnen und Drohnen waren Nikel Jacob bekannt. Über die Fortpflanzung hingegen war er sich nicht im Klaren. Obwohl er schrieb, die Königin (der Weisel) erzeuge Arbeiterinnen und Drohnen, heisst es später, die Brut entstehe aus der Feuchtigkeit, die in den Stock eingetragen worden sei. Von Eiern ist nie die Rede. (10)

Nach Nikel Jacobs Imkerbuch erschienen weitere Imkerbücher, wie zum Beispiel 1578 jenes von **Eldingen** mit dem Titel: „Wahrhafter Bericht von Art und Eigenschaften der Immen (…) und wie man sie auf den Lüneburger Heiden wartet (…)" und 1611 der „immerwährende Kalender" von Magister **Johan Colerus** mit dem Kapitel „Nützlicher Bericht von den Bienen". Manchmal bezogen sich die Verfasser auf das Buch von Jacob, manchmal aber auch auf alte Lehrmeinungen römischer Schriftsteller (z. B. Vergil oder Varro), die oft den Beobachtungen widersprachen. Das Imkerhandwerk wie auch die Beuten waren angepasst an Klima, Vegetation und wirtschaftliche Verhältnisse der Region.

Kulturgeschichte der Honigbiene

Imkerhandwerk des Mittelalters

Drei Holzschnitte aus dem Buch von Nikel Jacob (zweite Auflage, 1586) zeigen sowohl die Hausbienenzucht (oben links und unten) als auch die in Nordosteuropa hoch entwickelte Waldbienenzucht (Zeidlerei, oben rechts).

Abb. 93 (oben links)
Unten: Familienwappen mit zwei Heiligenfiguren. Stangentrage mit Lagerstock (liegende Walze, wurde zum Bearbeiten an den Stirnseiten geöffnet). Über der Walze: unbekanntes, siebartiges Gerät, links davon Zeidelmesser zum Ausschneiden der Waben. Mitte: Raucher, Königinnenzusetzer (links), Schwarmfangkorb oder Königinnensiebkorb (rechts). Oben: zwei Klotzbeuten (links), zwei Lagerstöcke (rechts).

Abb. 94 (oben rechts)
Zeidelwald (→ S. 83, 84) mit Wildschweinjagd (Zeidler waren oft auch Jäger). Feinde des Beutenbaumes (Bär und Specht). Zeidler bei der Arbeit (links), am Strick hängender Zeidelkorb und Raucher.

Abb. 95 (unten links)
Schwarmfang ohne Leiter. Auf Stangen montiert: Gänsefeder zum Abwischen des Schwarmes, Schwarmfangmulde (Korb), Raucher. Rechts: Imker mit Schleier und Königinnenabfanggerät. Oben rechts: Hausbienenstand mit Klotzbeuten (Klotzbeuten wurden seitlich geöffnet). (11)

Geschichte der europäischen Bienenhaltung und -forschung

Urformen der Bienenbeuten und des Imkerhandwerks in Europa

Abb. 96

Strohstülper	Spanstülper	Bauernkasten	Walze
Rumpf	Rutenstülper	Tunnelstock (Bienenfässlein)	Rauchfangstock
Klotzstülper	Kastenstülper	Liggstock	Ständerbeute
	Lagerbeute	Liggekube	Figurenstock

– – – – Grenze der Waldbienenzucht
·········· Südgrenze des Strohstülpers

In Nordosteuropa (gestrichelte Linie) entwickelte sich neben der Hausbienenzucht auch die Waldbienenzucht, das so genannte **Zeidelwesen**. Dies stellte eine hoch entwickelte Form der Waldnutzung dar, die neben der Jagd und Schweinemast ausgeübt wurde und wesentlich höhere Erträge abwarf als die Holznutzung. Die **Zeidler** bildeten einen angesehenen Berufsstand und waren befugt, Waffen zu tragen. (46v)

2 Kulturgeschichte der Honigbiene

Der Zeidler besass das Recht, in einem zugeteilten Waldbezirk geeignete Bäume mit dem Zeidelbeil auszuhöhlen, um Nistmöglichkeiten für wild zufliegende oder selbst eingefangene Bienenschwärme zu schaffen. Den Zeidelbäumen wurden oft die Wipfel abgeschnitten, damit die Stämme an Stärke gewannen und die Bäume vom Blitzschlag verschont blieben. In den Wäldern West- und Südeuropas sowie der Schweiz wurde nicht das hoch entwickelte Zeidelwesen, sondern die einfache Honigjagd betrieben. Traditionelle Bienenbehälter waren hier nicht die Klotzbeuten, die sich von hinten öffnen liessen, sondern Klotzstülper, Rutenstülper und Strohkörbe, die zur Behandlung der Völker umgedreht (umgestülpt) wurden.

Abb. 97
Zeidler am Werk
Fig. 151: Nürnberger Zeidler auf der Jagd.
Fig. 152: Pfeife rauchender Zeidler (ohne Schleier!) auf seinem Zeidlersitz vor geöffneter Beute. Mit dem Zeidelmesser schneidet er volle Honigwaben aus (zeideln = schneiden).
Fig. 153: Zeidler bei der letzten Herbstkontrolle. Er trägt einen Schleier, weil die Bienen im Herbst aggressiver sind. Mit der rechten Hand öffnet er mit dem Zeidelbeil den Stock, die linke Hand hält das Verschlussbrett fest.
Fig. 154: Hohlklotz (wurde von oben geöffnet), rechts daneben Innendeckel (Fig. 155).
Fig. 156: Zeidelsack zum Einfangen der Schwärme sowie zum Transport der Honigwaben oder der Werkzeuge.
Fig. 157: Schwarmfangsack zum Aufstecken. Sobald ein Schwarm auszog, wurde der Sack vors Flugloch geheftet und die Bienen flogen hinein.
Fig. 158: Gestell für Klotzbeuten oder Hohlklötze.

Geschichte der europäischen Bienenhaltung und -forschung

Traditionelle Bienenbehausungen der Schweiz

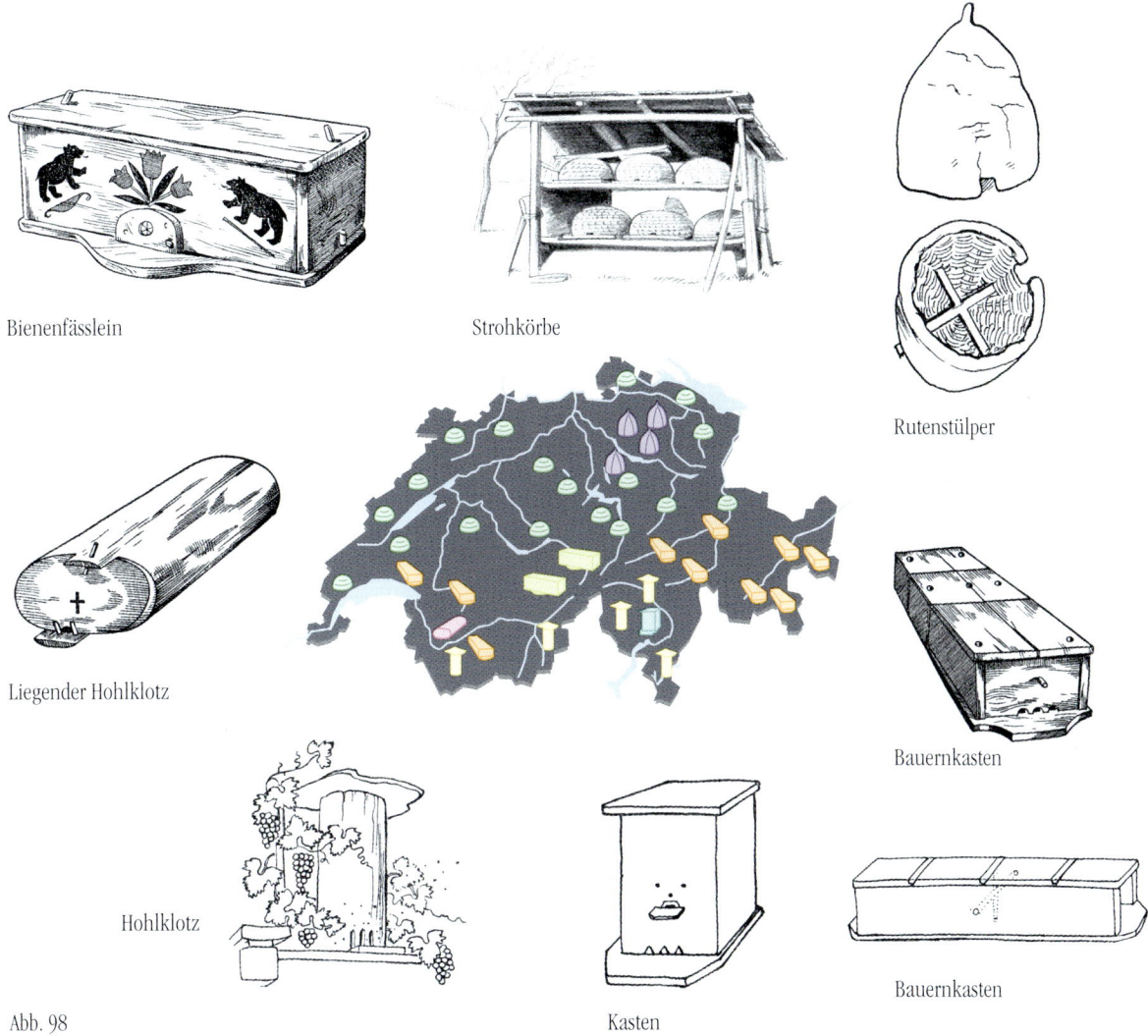

Abb. 98
Urformen schweizerischer Beuten

In den typischen Ackerbaugebieten des Mittellandes waren die Strohkörbe vorherrschend, im Wallis und Tessin die Hohlklötze. Hohlklötze wurden von oben bearbeitet. Rinden- und Kübelstülper, aber auch Ruten- und Strohkörbe wurden zur Kontrolle der Völker und zur Honigernte umgedreht (umgestülpt). Der Bauernkasten und das Bienenfässlein des Haslitales sind spezielle alpine Beuten, die möglicherweise einwandernde ostgermanische Völkerstämme mitgebracht hatten (51). Der Bauernkasten konnte an beiden Stirnseiten geöffnet werden. In der Mitte des Kastens waren kreuzweise Holzstäbe eingelassen. Zur Honigernte wurden die fluglochferne Stirnseite geöffnet und die Honigwaben bis zu den Holzstäben herausgeschnitten (die Bienen lagern den Honig bevorzugt fern vom Flugloch ein). Dann wurde der Kasten umgedreht. Die Bienen bauten nun im fluglochnahen Leerraum neue Waben, das Brutnest wuchs bis zur nächsten Ernte nach vorne. (57d)

Die Menschen schienen vor den Bienen keine Angst zu haben; sie stellten Strohkörbe, Bienenfässlein oder Bauernkästen gerne nah zur warmen Hauswand. Im Winter wurden die Kästen oder Körbe bei verschlossenen Fluglöchern in den Gaden (Speicher), in die Scheune oder in eine ruhige Kammer gestellt. An warmen, sonnigen Wintertagen wurden die Kästen nach draussen gebracht, und die Bienen konnten für ein paar Stunden ausfliegen. Das Gewicht der Kästen wurde geprüft und die Völker bei Bedarf mit Honigwasser gefüttert. (57e)

Abb. 99
Luzerner Bauernhaus mit Bienenkörben
Das Bild entstand vermutlich um 1890 und zeigt eine Bienenhaltung, wie sie während Jahrhunderten betrieben wurde. Die Bewohner dieses Hauses hatten offensichtlich keine Angst vor Bienen, und die Schwärme vorne rechts und links im Bild werden ohne Kopfschutz eingefangen. Hinten rechts steht ein halb offener Bienenstand mit Körben und aufgesetzten Kistchen, die bewegliche Rähmchen enthielten, was den Übergang von der Korb- zur Kastenimkerei belegt.

3.4 Niedergang der traditionellen Imkerei

Die Bienenhaltung hatte im Mittelalter einen hohen Entwicklungsstand erreicht. Sie wurde durch Gesetze geschützt und gefördert. Von Mitte des 16. bis Ende des 18. Jahrhunderts zerfiel sie aber zusehends. Gründe dafür waren:

Die Reformation
Die reformierte Kirche verzichtete auf Lichterglanz und Votivgaben. Die Nachfrage nach Bienenwachs sank und es verlor an Wert. Viele Klöster, die zuvor die regionale Bienenhaltung unterstützt und gefördert hatten, wurden aufgehoben. Auch der Wachszins entfiel.
Bei weltlichen Feiern, im Haushalt und in der Technik nahm aber andererseits der Wachsverbrauch zu.

Die Kriege und die Pest
In den deutschsprachigen Ländern hatte der Dreissigjährige Krieg (1618–1648) verheerende Folgen auf die Bienenhaltung. Nur die Schweiz, mit Ausnahme des Unterengadins, blieb davon verschont. Diesem Krieg fielen 75% der Bevölkerung und 80% des Viehbestandes zum Opfer. Viel imkerliches Können und Wissen ging für immer verloren. Um den Krieg zu finanzieren, erhoben die Könige hohe Steuern auf landwirtschaftliche Produkte wie Wachs, Schafwolle und Leder. Viele Inhaber von Wachslehen verzichteten auf ihre Rechte oder schränkten die Völkerzahl stark ein, um der Kriegssteuer zu entgehen. Auch die Pest forderte viele Menschenleben. Zahlreiche Imker nahmen ihr Können und Wissen mit ins Grab.

Neue Handelswege und neue Produkte

Die Erschliessung neuer Handelswege nach Asien, Afrika und Amerika führte zu einer Umgestaltung der Handelsplätze und Handelswaren. Alte Marktzentren, wie zum Beispiel Nürnberg, verloren an Bedeutung. Wachs und Honig wurden aus Übersee importiert. Schon um 1790 kamen aus Nord- und Zentralamerika 236 000 Pfund Wachs nach Europa (4b). Honig bekam zunehmend Konkurrenz durch Zucker und Konfitüren. Die Einfuhr von Tee, Kaffee und Kakao sowie die steigende Sirup-, Bier- und Weinproduktion verdrängten die alkoholischen Getränke aus Honig (Met) fast vollständig. Bienenwachs wurde durch amerikanische Pflanzenwachse, wie beispielsweise Carnaubawachs, ersetzt.

Neue landwirtschaftliche Nutzungsformen

Die aufstrebende Industrie und die wachsenden Städte benötigten viel Holz. Das Zeidlerwesen wurde gebietsweise sogar verboten, weil es den Waldschlag behinderte. Infolge der schwindenden Wälder und Hecken und der zunehmenden landwirtschaftlichen Nutzfläche verarmte die Bienenweide und die Trachtzeiten verkürzten sich.

Schlechte Erntemethoden

Die Wertverminderung des Honigs und des Wachses führte auch zu einer Geringschätzung des Bienenvolkes. Die Völker wurden vermehrt im Herbst mit Feuer oder Schwefel abgetötet, um möglichst viel Honig und Wachs zu ernten. „Ab- oder ausstossen" hiess dieses Abtöten der Völker. Abgestossen wurden die schwersten und die leichtesten Völker; die schwersten, weil sie viel abwarfen, die leichtesten, weil ihnen viel Winterfutter (Honigwasser) hätte gegeben werden müssen. Überwintert wurden nur mittelgrosse Völker, und die Imker zählten auf die natürliche Vermehrung durch Schwärme im folgenden Frühsommer. (16c, 44)

3.5 Grosse Entdeckungen im Reich der Bienen

Während des Untergangs des römischen Reiches in den ersten Jahrhunderten n. Chr. gingen die naturwissenschaftlichen Schriften des Aristoteles und Plinius verloren. Das antike Kulturgut blieb aber dank der arabischen Gelehrten des Vorderen Orients erhalten. Durch sie fanden die Schriften im 11. Jahrhundert nach Spanien. Mit deren Übersetzung und Interpretation beschäftigten sich vom 12. bis 16. Jahrhundert verschiedene Gelehrte, meist Theologen und Mönche. Allmählich nur löste sich das naturwissenschaftliche Gedankengut von theologischen Vorstellungen und Vorschriften, bis schliesslich daraus ein eigenständiger Wissenschaftsbereich entstand. Nach der Erfindung des Mikroskops wurden die Insekten vermehrt von den Gelehrten untersucht und beschrieben.

Lungen und Nieren: Malpighi (1628–1694)

Der Arzt Marcello Malpighi untersuchte die Entwicklungsphasen der Seidenraupe und entdeckte dabei die Luftröhren (Tracheen), die er auch bei anderen Insekten nachwies. Während er die Ausscheidungsorgane der Insekten untersuchte, stiess er auf fadenförmige Strukturen, welche die Funktion von Nieren haben und heute nach deren Entdecker malpighische Gefässe genannt werden. (17e)

Kulturgeschichte der Honigbiene

Eierstöcke: Swammerdam (1637–1680)

Der Holländer Jan Swammerdam verfasste ein grosses Werk über die Insekten, die „Bibel der Natur". In seinen „Abhandlungen von den Bienen" wies er nach, dass die Königin die Mutter des Volkes ist und die Bienen aus Arbeiterinnenbrut eine neue Königin nachziehen können. Er bezeichnete die Arbeiterinnen als geschlechtsneutral und die Drohnen als männlich. Die eigentliche Begattung konnte Swammerdam nicht beobachten. Wegen der Grösse des Geschlechtsorgans der Drohne nahm er an, dass die Königin durch den männlichen Geruch, den „aura seminalis", befruchtet würde. (17f)

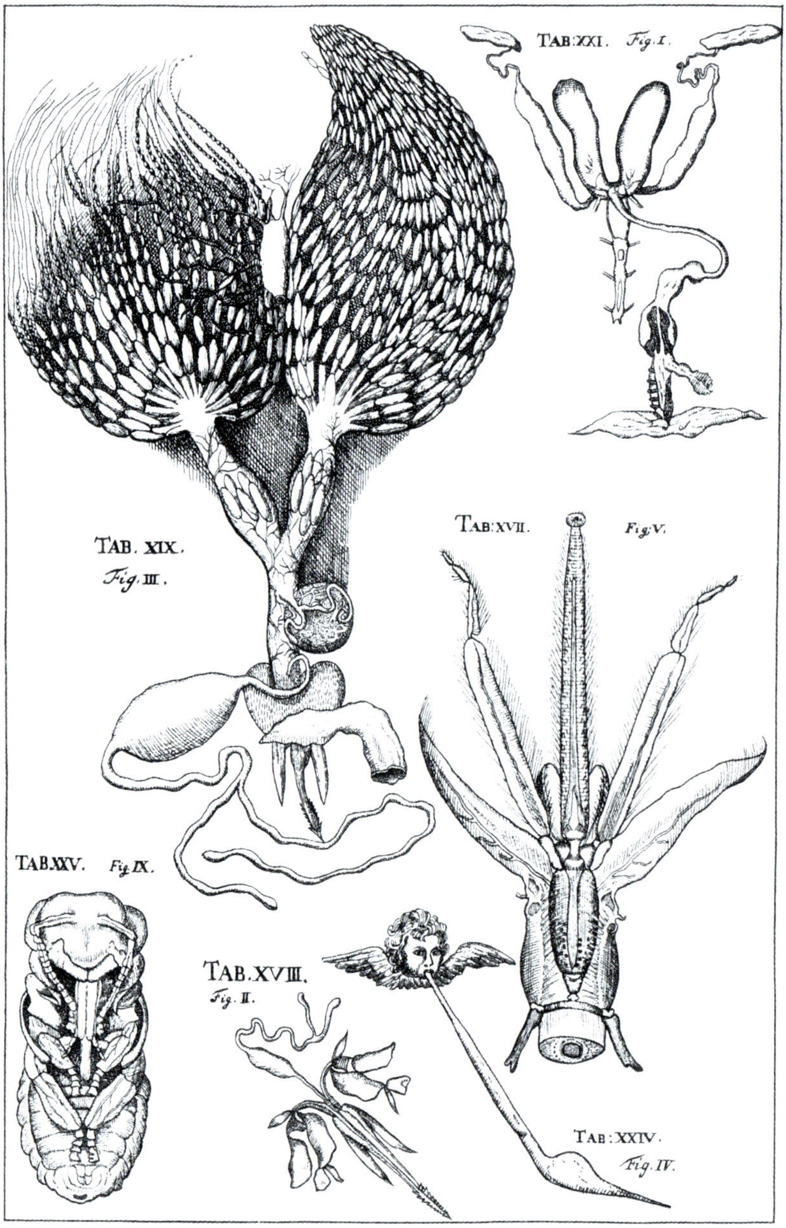

Abb. 100

Aus Swammerdams Werk „Bibel der Natur"

Swammerdam arbeitete mit einem Mikroskop, das er selber hergestellt hatte.
Fig. 1: männliche Genitalien der Drohne
Fig. 2: Giftstachel mit Anhangdrüsen
Fig. 3: Ovarien und Genitalorgane der Königin
Fig. 4: Glasröhrchen, die sich Swammerdam anfertigte, um die Tracheen durch Aufblasen und Injizieren einer Flüssigkeit sichtbar zu machen
Fig. 5: Mundwerkzeuge der Honigbiene
Fig. 9: Puppe

Soziales Bienenleben: Réaumur (1683–1757)

René-Antoine Ferchault de Réaumur verfasste eine sechsbändige Abhandlung über die Insekten. Mehrere Kapitel waren der Honigbiene gewidmet. Réaumur beschrieb das Pollensammeln präzise, doch den Pollen betrachtete er als „Rohwachs", das erst durch die Verdauung im Darmtrakt in das eigentliche Wachs umgewandelt wird. In den Arbeiten zur Geometrie der Wabenzellen wies Réaumur gemeinsam mit dem Mathematiker König nach, dass eine sechseckige Zelle die ökonomischste Form ist. Sie benötigt im Verhältnis zum Fassungsvermögen die geringste Wachsmenge. Sein Interesse galt auch der Anatomie des Bienenkörpers, der Brutentwicklung, der Wärmeregulation im Bienenstock, dem Sammeln von Propolis und den Bienenfeinden. In einem seiner zahlreichen Glasstöcke zeichnete er 500 Bienen, um ihre Lebensdauer zu bestimmen. Er beobachtete auch das Sozialleben der Bienen und kam zum Schluss, dass die Königin „die Seele des Bienenstockes" sei. (17g)

Herausgeschwitztes Wachs: Hornbostel (ca. 1700–1765)

Hermann Christian Hornbostel beschrieb 1744, wie er Wachsplättchen an der Bauchseite der Bienen hervortreten sah. Weitere Untersuchungen brachten ihn dann zur Überzeugung, dass Wachs ein Drüsenprodukt der Bienen sei. Trotzdem wurden die Pollenhöschen an den Hinterbeinen der Bienen noch längere Zeit für Wachs gehalten.

Bestäubung der Blumen: Sprengel (1750–1816)

Die meisten Bienenforscher im 18. Jahrhundert waren damit beschäftigt, die Biologie der Bienen zu ergründen oder die Praxis der Bienenhaltung zu verbessern. Die Rolle der Bienen in der Natur war kein Thema. Christian Konrad Sprengel hingegen beobachtete den Blütenbesuch der Insekten jahrelang sorgfältig und kam zu völlig neuen Erkenntnissen. Diese veröffentlichte er 1793 in seinem Buch „Das entdeckte Geheimnis der Natur im Bau und in der Befruchtung der Blumen". Er wies nach, dass „die Farben der Blütenkrone und die mannigfaltige Bildung der Blumen sich auf die Insekten beziehen, letztlich aber auf die Bestäubung und Vermehrung der Pflanzen hinzielen...", „... wodurch die Natur ihren grossen Endzweck erreicht, nämlich die Erhaltung der Arten und die Vermehrung der Individuen jeder Art". Die gründliche Erforschung des Bestäubungsvorganges veranlasste ihn zur Aussage: „So scheint es die Natur nicht haben zu wollen, dass irgendeine Blume durch ihren eigenen Staub befruchtet werden solle." (58a) Sprengels Auslegungen wurden von den Gelehrten seiner Zeit, so auch von Goethe, kritisiert und belächelt. Es schien ausgeschlossen, dass ein so kleines Insekt eine derart wichtige Rolle in der Natur spielen sollte. Sprengel verlor seine Stelle als Rektor eines Gymnasiums und lebte bis zu seinem Tod in Armut und Einsamkeit. Trotz seines Misserfolges mit dem ersten Buch war er von seinen Aussagen überzeugt und veröffentlichte 1811 ein weiteres Buch mit dem Titel „Die Nützlichkeit der Bienen und die Nothwendigkeit der Bienenzucht von einer neuen Seite dargestellt". In allgemein verständlicher Sprache fasste er darin seine Erkenntnisse zusammen: „Die Bienen sind weit nützlichere Tierchen, als man bisher geglaubt hat, sie gehören zu den vorzüglichsten und unentbehrlichsten Haustieren." „Der Gewinn an Honig und Wachs ist nicht der Hauptzweck der Bienenzucht, sondern nur eine Nebensache, ein blosses Accidens. Der Hauptzweck ist die Befruchtung der Blumen und die Beförderung reichlicher Ernten." „Der Staat muss ein stehendes Heer von Bienen haben." (59)

Erst Generationen später erfassten die Forscher den wahren Wert von Sprengels Erkenntnissen. Sie gelten heute als „Binsenwahrheit". 1793 aber waren sie revolutionär.

Kulturgeschichte der Honigbiene

François Huber (1750–1831) und sein Diener François Burnens

Der vielleicht bedeutendste Schweizer Bienenforscher war der Genfer François Huber. Er war mit 19 Jahren vollständig erblindet, doch dank der ausgezeichneten Mithilfe seines Dieners François Burnens und seiner Ehefrau Marie-Aimée Lullin konnte er sich ein Leben lang der Erforschung der Bienen widmen. Es gelang Huber und Burnens durch stundenlanges, geduldiges Beobachten, das damalige Wissen über Bienen zu erklären und zu vertiefen. (34)

Einige Beispiele:
- Huber und Burnens konnten bestätigen, dass weisellose Völker aus gewöhnlicher Arbeiterinnenbrut durch besondere Ernährung vollwertige Königinnen nachziehen können. (Dies wurde bereits um 1560 von Nikel Jacob und um 1690 von Martin John beschrieben.)
- Viele Zeitgenossen Hubers glaubten, die Bienen trügen Wachs an den Hinterbeinen heim und der Blütenstaub sei „wenig anderes als Wachs". Dies, obwohl der Freiburger Arzt Martin John bereits um 1690 und der Pfarrer Hornbostel um 1720 beschrieben hatten, dass die Bienen die Wachsplättchen aus Drüsen an der Bauchseite herausschwitzen würden. Huber schuf auch hier Klarheit, denn seine exakten Beschreibungen überzeugten jedermann. Sein zweiter, 1814 erschienener Band „Nouvelles observations sur les abeilles" enthält seine Beobachtungen über die Wachsproduktion und das Bauverhalten der Bienen sowie das Propolisieren (Versiegeln) des Wabenbaus.
- Huber und Burnens beobachteten das Schwarmgeschehen eingehend und wiesen nach, dass im Vorschwarm immer die alte, im Nachschwarm mindestens eine junge, unbefruchtete Königin mitflog. (Dies hatte bereits der Lüneburger Imker Eldingen um 1580 beschrieben, aber sein Wissen wurde nicht Allgemeingut.)
- Huber und Burnens gelang es, die seit Jahrhunderten den Menschen rätselhafte Fortpflanzung der Bienen zu klären. Die beiden Forscher wiesen zweifelsfrei nach, dass die Königinnen im Flug mehrfach begattet werden und dass die Arbeiterinnen ebenfalls Weibchen sind, auch wenn ihre Eierstöcke verkümmert sind.

Ferner wurde der Beweis erbracht, dass Arbeiterinnen bei langer Weisellosigkeit unbefruchtete Eier legen können, aus denen sich normale Drohnen entwickeln. Huber und Burnens versuchten auch, Bienenköniginnen künstlich zu befruchten, was ihnen jedoch nicht glückte.

Geschichte der europäischen Bienenhaltung und -forschung

Abb. 101
Beobachtungsstock („Rahmenbude") von Huber und Burnens

Um Einblicke in das Innenleben eines Bienenvolkes zu erhalten, liess Huber einen speziellen Beobachtungskasten herstellen. Mehrere Brutwaben mit den Massen 23 x 30 cm wurden in Holzrahmen gefasst, die über Scharniere miteinander verbunden waren. Die Waben konnten „umgeblättert" werden wie die Seiten eines Buches.
Fig. 1: Wabenrahmen mit Wabenstück als Leitstreifen. e = Metallstifte zum Festklemmen der Holzleiste, die das Wabenstück stabilisierte.
Fig. 2: Geschlossener Kasten mit zwölf Wabenrahmen. Jeder Rahmen hatte ein verschliessbares Ausfluglich.
b = Abschlussbretter; a = Teilungsbretter zur Ablegerbildung.
Huber liess notieren: „Wir prüften mehrmals täglich jede der beiden Wabenseiten, indem die verschiedenen Rahmen nacheinander geöffnet wurden: es gab also in diesen Kästen keine einzige Zelle, deren Entwicklung wir nicht jederzeit verfolgen konnten." (34a)

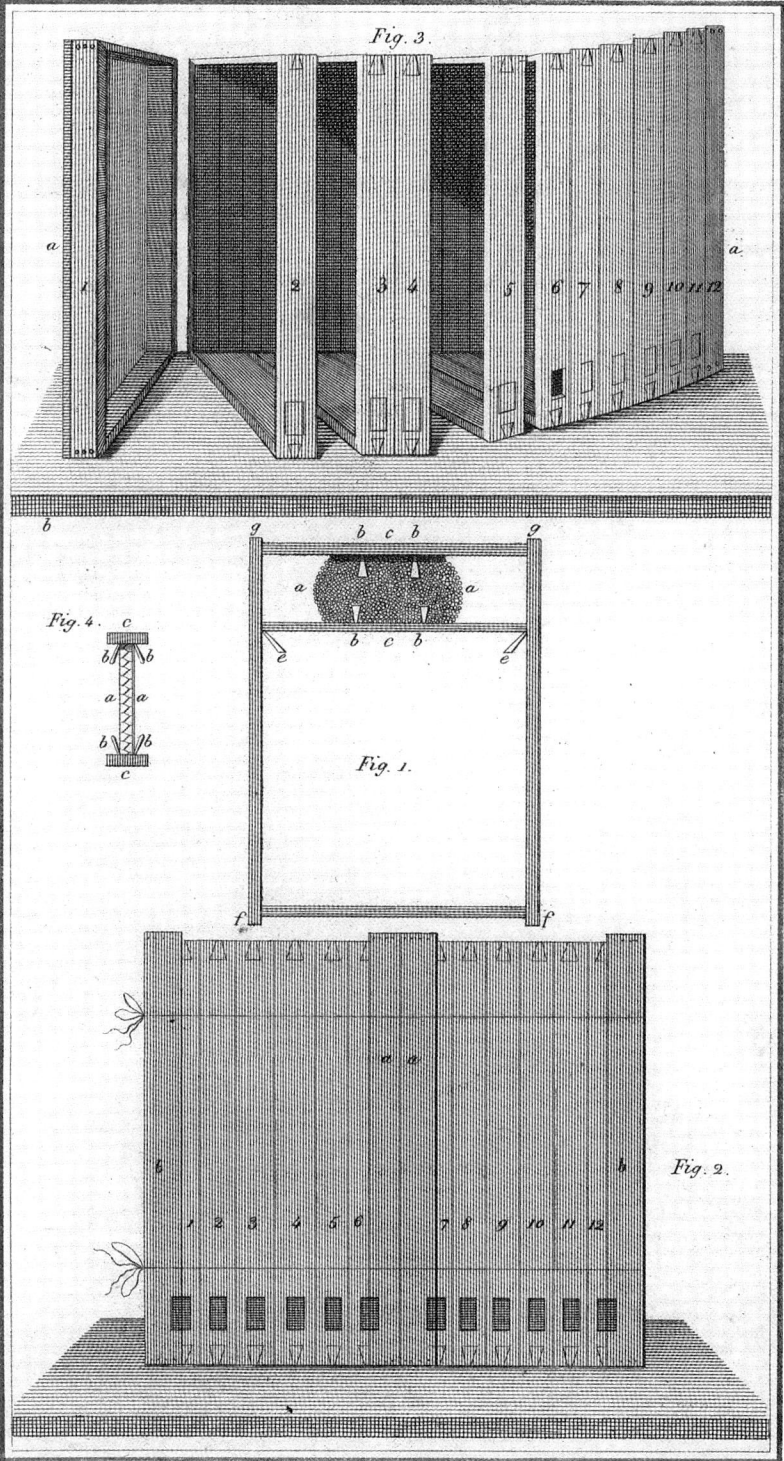

3.6 Technische Bienenzucht

Um 1750 wurden in verschiedenen Staaten Europas die ökonomischen Gesellschaften gegründet, die sich für eine allgemeine Verbesserung der Landwirtschaft und eine rationelle Land- und Tiernutzung einsetzten. Ihre Publikationen waren ein wichtiges Forum für neue wissenschaftliche und praktische Erkenntnisse, auch auf dem Gebiet der Bienenhaltung.

Das Neue vermitteln: Cathérine Vicat (1712–1772)

Nicht nur Männer spielten bei der Entstehung der modernen Bienenhaltung eine Rolle, es gab auch führende Frauen. Eine davon war Cathérine Vicat aus dem Waadtland. Sie war gebildet und kannte alle wichtigen Veröffentlichungen Réaumurs und anderer Forscher. Von 1760 an schrieb sie 64 Artikel über ihre eigenen Versuche und Beobachtungen. Das Abtöten der Bienen bei der Honigernte war für sie eine inakzeptable Vorgehensweise. Um zu ernten, ohne die Brut zu zerstören, konstruierte sie einen eigenen Bienenkasten, der sich erweitern und verengen liess. (57f)

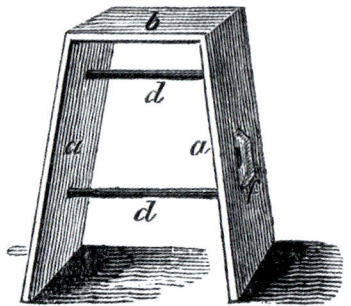

Abb. 102
Madame Vicats Bienenstock (Längslagerstock)
Links: Zwei längs verlaufende Eisenstangen hielten die vier Holzelemente zusammen. Wurde das fluglochferne Abschlussbrett entfernt, so liess sich der Honig ernten. Durch ein Loch im Tisch wurde der Bienenstock belüftet. Eine Schublade deckte dieses Loch ab und konnte zur Reinigung des Stockes seitlich herausgezogen werden.
Rechts: Querschnitt durch ein Holzelement.
Die Holzleisten (d) stabilisierten den Wabenbau. Es ist nicht bekannt, weshalb Frau Vicat die Trapezform wählte.

Geschichte der europäischen Bienenhaltung und -forschung

Wider den barbarischen Gräuel: Jaques de Gélieu (1696–1761)

Jaques de Gélieu wirkte um 1720 als Gemeindepfarrer in der Nähe von Neuchâtel. Neben einer kleinen Landwirtschaft hielt er Bienen und war ausserdem naturwissenschaftlich interessiert. Basierend auf eigenen Beobachtungen sowie den Erkenntnissen von Swammerdam, Réaumur und anderen versuchte er, die imkerliche Praxis zu verbessern. Damals wurden die Bienen bei der Honigernte aus Strohkörben oft abgetötet (→ S. 87). Diese Methode missfiel de Gélieu, und er bezeichnete sie als „barbarischen Gräuel". Er suchte nach einem Weg, um den Honig ohne Schädigung der Brut gewinnen zu können. Die Bienenkörbe schienen ihm dazu nicht geeignet. Weder liess sich der Honigraum vom Brutraum trennen, noch konnte das Nestvolumen der Volksentwicklung angepasst werden. De Gélieu fertigte kleine Kistchen an, die sich stapeln liessen und zur Fixierung der Waben zusätzlich mit Holzstäben verstrebt waren. Ein Bodenbrett und ein Deckel, beschwert mit einem Stein, bildeten den Abschluss. Dieser Aufbau ist das Grundmodell des heutigen Magazins. Damals waren allerdings die Waben nicht mobil (frei beweglich). Dieser neue Bienenkasten erlaubte es, das Nestvolumen der Volksstärke anzupassen und die oberen Kistchen mit den Honigwaben mit einem Draht von den Kistchen mit dem Brutnest abzutrennen. Réaumur war von dieser Erfindung sehr beeindruckt und empfahl sie weiter. De Gélieus Bienenkiste war einfach und billig; jeder Bauer konnte sie selbst herstellen. Trotzdem setzte sich diese Konstruktion nicht durch. Die Trennung der einzelnen Elemente mit einem Draht war vermutlich zu schwierig.

Abb. 103
Urform eines Magazins

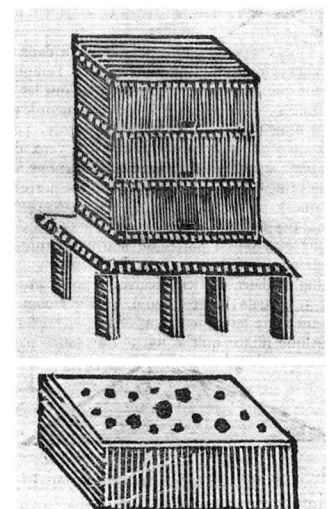

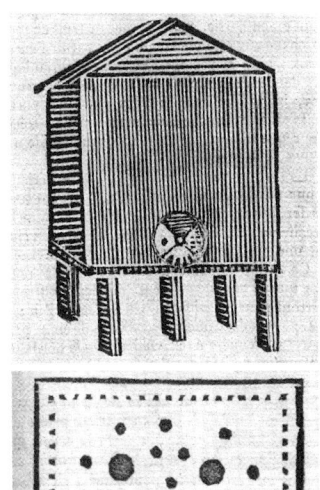

François Xavier Duchet, Kaplan in Remaufens (Kt. Freiburg), beschrieb 1771 in seinem Buch „Culture des abeilles" einfache Magazinstöcke. Ähnliche Kästen wurden auch von de Gélieu und von Christ in Deutschland verwendet. Mobile Wabenrahmen waren noch nicht bekannt.
A: Magazinbeute aus drei Zargen (D, E, F) auf einem Standbrett. Zargengrösse: Länge und Breite: 40–45 cm, Höhe: 10–16 cm. Jede Zarge verfügte über ein Flugloch, doch nur jenes der Bodenzarge wurde geöffnet. Zargen D und E enthielten Brut und Wintervorrat. Zarge F war Honigraum.
B: Ein Holzhäuschen schützte den Magazinstock vor Regen und Schnee. Mit einer Blechrondelle konnte die Fluglochöffnung der Volksstärke angepasst werden. C: Sicht auf eine Zarge. Auf jede Zarge wurde ein Brett mit verschieden grossen Bohrlöchern genagelt. Durch die Bohrlöcher gelangten die Bienen ins benachbarte Magazin.
D: Zargendeckel mit Bohrlöchern. Die grossen Bohrlöcher wiesen einen Durchmesser von 3–4 cm auf. Dank dieser Zwischenböden konnten die Zargen abgehoben werden. Das Durchtrennen des Wabenhauses mit Draht war nicht nötig. (26)

Kulturgeschichte der Honigbiene

Bienenberater:
Jonas de Gélieu (1740–1827)

Jonas de Gélieu, der Sohn Jaques de Gélieus, fasste die Erfahrungen seines Vaters in einem Buch zusammen. Es erschien 1770 unter dem Titel „Kurze Anweisung für den Landmann, enthaltend die einfältigste und sicherste Weise der Bienenwirthschaft". 1817 folgte „Der wohlerfahrene Bienenvater". Beide Bücher geben Anweisungen, wie und wo die Bienenstöcke aufzustellen sowie die Bienenvölker zu pflegen sind, wie Schwärme vereint werden und vieles mehr (30). Die Empfehlungen zeugen von einem grossen biologischen Wissen und einem ausserordentlichen imkerlichen Geschick. Jonas de Gélieu scheint als Erster beim Vereinen von Bienenvölkern einen Zusetzkäfig für Königinnen verwendet zu haben. (Königinnenkäfige sind allerdings bereits im Buch von Nikel Jacob von 1586 beschrieben (→ S. 81–82). Auch empfahl de Gélieu, die Bienenvölker regelmässig zu wägen. Nur so liess sich der Honigvorrat vor der Ernte und dem Überwintern bestimmen. De Gélieus Anregungen für eine verbesserte Bienenhaltung wurden in ganz Europa bekannt, da die meisten Beiträge ins Deutsche, einige auch ins Englische und Italienische übersetzt wurden.

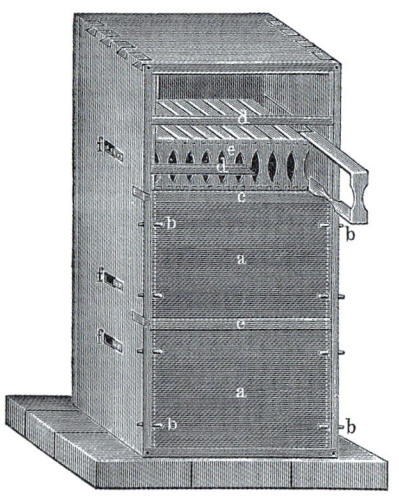

Urformen von Beuten mit beweglichen Wabenrahmen

Unzählige Bienenhalter erfanden im Laufe der Jahrhunderte Bienenkorb- oder Kastenmodelle mit beweglichen Waben (Mobilbau). Dies ermöglichte eine schonende Honigernte und Ablegerbildung. Die älteste Beute mit Mobilbau ist die kretische „vraski" (→ S. 76).

Abb. 104
Der Italiener Della Rocca, der die griechischen „vraski" kannte, konstruierte um 1790 eine 70 cm hohe Beute mit Stäbchen. An diese frei beweglichen Holzleisten bauten die Bienen ihre Waben. Wabengrösse: 33 x 33 cm. Vermutlich übernahm Dzierzon Della Roccas Wabentragleisten für seine Lagerbeute (→ S. 95–96).

Abb. 105
Um 1812 entwickelte der Russe Prokopovitch eine Ständerbeute, die im Honigraum (e) Rähmchen zum Herausziehen enthielt. Im Brutraum (a,a) errichteten die Bienen stabilen Naturbau. Baron von Berlepsch verbesserte diese Rahmen für seinen Kasten (→ S. 97–98). (19a)

Johann Dzierzon (1811–1906)

Der Naturforscher

Wie viele andere berühmte Bienenforscher war auch Johann Dzierzon Pfarrer. Den väterlichen Bienenstand übernahm er mit 15 Jahren. 1835 machte er in einem Bienenvolk eine wichtige Entdeckung: Eine flugunfähige Schwarmkönigin brachte nur Drohnen hervor. Damit hatte Dzierzon die **Parthenogenese** beobachtet (13). (Parthenogenese = Jungfernzeugung = Fortpflanzung ohne Eibefruchtung). Dzierzon war sich der Bedeutung seiner Beobachtung bewusst und formulierte aufgrund weiterer Versuche eine „Neue Fortpflanzungstheorie":

– Die Königin paart sich nur ausserhalb des Stockes im Fluge.
– Bei der Begattung wird die Samenblase gefüllt und die Königin ist fortan fähig, je nach Bedarf die Eier bei der Ablage zu befruchten oder nicht.
– Aus befruchteten Eiern entwickeln sich weibliche Tiere, aus unbefruchteten Drohnen.

Damit liess sich vieles erklären, was zuvor rätselhaft erschien, namentlich die Tatsache, dass die Königin schon zeitig im Frühjahr befruchtete Eier legt, obwohl noch keine Drohnen vorhanden sind. Dzierzons Fortpflanzungstheorie und vor allem die Parthenogenese wurde vielfach bezweifelt. Einige Jahre später aber konnte sie mit Hilfe mikroskopischer Untersuchungsmethoden bestätigt werden.

Der Imkerpraktiker

Anfänglich hielt Dzierzon seine Bienenvölker in Klotzbeuten. Dies waren ausgehöhlte, aufrecht stehende Baumstrünke, die zur Honigentnahme von hinten geöffnet wurden (→ S. 82). Um 1835 begann er, Völker in Magazinstöcken zu halten (→ S. 93), doch verhungerten diese während eines kalten Frühjahrs. Deshalb baute Dzierzon eigene Bienenkästen. Die grosse Neuerung waren die in Nuten verschiebbaren Wabentragleisten. Seine Längs-Lagerbeute war 72 cm lang, 24 cm breit und 50 cm hoch. Die obersten 10 cm waren reserviert für den „Handraum". So konnten die Waben leicht gegriffen werden. Zwei solcher Kästen kombinierte Dzierzon zu seinem berühmten Zwillingsstock.

Dzierzon verwendete keine Ganzrähmchen, sondern nur Wabentragleisten. Die Bienen bauten die Waben an den Seitenwänden fest, doch dies störte Dzierzon nicht. Er empfand die gegenüber einem Ganzrähmchen vergrösserte Brutfläche als Vorteil. Zudem sparte er mit seinen Wabentragleisten Material und Arbeit.

„Der Zwillingsstock, so wie er ist, bleibt der beste Stock", schrieb Dzierzon und begründete dies in seinem 1890 erschienenen Buch. Ausführlich schildert er darin die Verwendung des Zwillingsstocks als Ablegerkasten, bei der Königinnenzucht, als Wabenschrank oder als Wanderbeute. (27)

Der Königinnenimporteur

Ein Zeitungsbericht aus der Schweiz weckte Dzierzons Interesse für die Italienische Biene, und er importierte sie 1853 (24). Dzierzons enthusiastische Berichte über die scheinbar positiven Eigenschaften dieser Bienenrasse ermöglichten deren weltweite Verbreitung. Doch nicht immer lief alles nach Plan. Brandschäden, Krankheiten, Überschwemmungen und Diebstahl bescherten Dzierzon schlimme Rückschläge. Die von ihm so hoch gelobte Italienische Biene brachte nördlich der Alpen nicht die erhoffte Ertragssteigerung.

2 Kulturgeschichte der Honigbiene

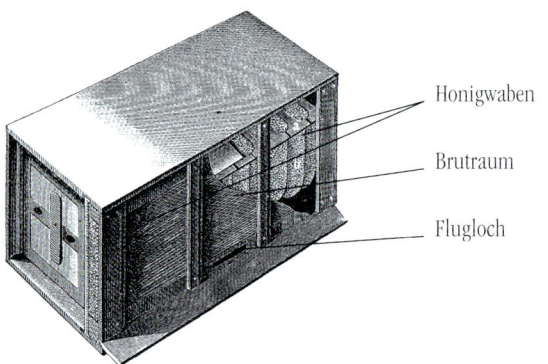

Abb. 106
Dzierzon'scher Bienenkasten um 1857
Die Lagerbeute konnte an beiden Stirnseiten geöffnet werden. An die Wabentragleisten (a), die in Nuten eingeschoben wurden, bauten die Bienen ihre Waben (b). Das Flugloch und das Brutnest befanden sich in der Mitte. Seitlich folgten die Honigwaben. Mit einem Trennbrett konnte eingeengt werden. Auf beiden Seiten schlossen mit Stroh isolierte Türen den Kasten ab.

Abb. 107
Stapelbare Bienenkästen
Je zwei Lagerbeuten konnten Rücken an Rücken aneinander gestellt und kreuzweise gestapelt werden. Das ersparte den Bau eines Bienenhauses und bot einen guten Wärme- und Wetterschutz. Weitere Vorteile waren: gute Lichtverhältnisse beim Arbeiten, leichter Zugang zu allen Völkern von je zwei Seiten und geringes Verfliegen der Bienen.

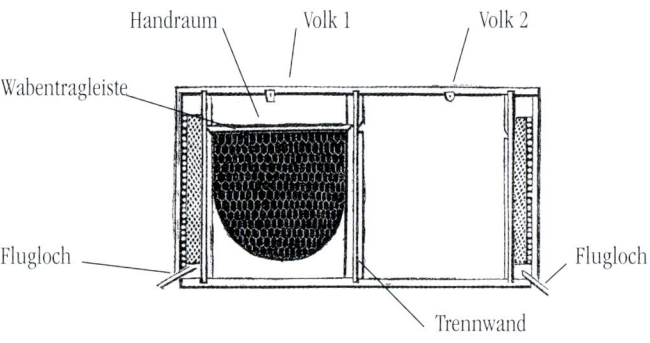

Abb. 108
Querschnitt durch eine Zwillingsbeute von Dzierzon
Diese Doppelbeute entstand, wenn zwei Dzierzon-Kästen aneinander gestellt wurden. Im Bodenbrett sowie in der Trennwand konnte eine Öffnung freigegeben werden. Der Zwillingskasten liess sich vielseitig verwenden: In ihm wurden Völker vereinigt, Ableger gebildet oder Königinnen gezüchtet. Der Handraum oberhalb der Waben erleichterte die Arbeit mit den Völkern. Er wurde mit Deckbrettchen abgedeckt oder von den Bienen frei verbaut.

Geschichte der europäischen Bienenhaltung und -forschung

Hinterbehandlungskasten: August von Berlepsch (1815–1877)

Sein erstes Bienenvolk im Strohkorb erhielt Baron August von Berlepsch mit sieben Jahren. Er studierte Recht und Theologie und hielt sich stets einige Bienenvölker in seinen Studentenzimmern. 1841 übernahm er das Schloss- und Landwirtschaftsgut seines Vaters in Seebach (Thüringen) und erweiterte die Bienenzucht auf über 100 Völker in Strohkörben. Durch Fachliteratur lernte er Dzierzons Theorie der Parthenogenese und den Mobilbau in Kästen kennen. Von Berlepsch war zunächst skeptisch, erst eine Reise zu Dzierzon überzeugte ihn vom Vorteil der neuartigen Bienenhaltung. Nach mehrjährigen Versuchen publizierte er seine eigenen Erfahrungen sowie die Theorien Dzierzons in der „Nördlinger Bienenzeitung". Sein Landgut wurde ein viel besuchtes Imkerzentrum, und von Berlepsch erhielt den Spitznamen „Bienenbaron". 1860 erschien die Erstauflage seines Lehrbuches „Die Biene und die Bienenzucht in honigarmen Gegenden nach dem gegenwärtigen Stand der Theorie und Praxis". Nicht immer teilte von Berlepsch Dzierzons Meinung. So war zum Beispiel für ihn die viel gelobte Italienische Biene *(Apis mellifera ligustica)* nicht besser als die angestammte Dunkle Biene *(Apis mellifera mellifera),* und das Ganzrähmchen schien ihm viel praktischer als die von Dzierzon verwendete Wabentragleiste.

Von Berlepsch entwickelte um 1853 einen eigenen Bienenkasten, der sich von der Lagerbeute Dzierzons wesentlich unterschied: er war hoch stehend (= Ständerbeute) und liess sich von hinten öffnen (= Hinterbehandlungskasten). Von Berlepsch benutz-

Abb. 109
Berlepschs Hinterbehandlungskasten
Sicht in den geöffneten Kasten von hinten. Innenmasse: 28 cm breit, 73,5 cm hoch, 49 cm tief. Auf den Boden des Kastens wurde eine 5 cm hohe Schublade eingeschoben (a), und zwar im Sommer verkehrt, mit dem Boden nach oben. Das Flugloch befand sich auf der Höhe des umgedrehten Schubladenbodens. Im Winter wurde die Schublade umgedreht. Gemüll und tote Bienen fielen hinein. Dadurch wurde verhindert, dass sich das Flugloch verstopfte, und der Boden liess sich leicht reinigen. c und d bezeichnen den Brutraum, g den Honigraum. Der Brutraum wurde mit drei längs laufenden Deckbrettchen abgedeckt (bei f). Beim Einschieben der Honigwaben wurden diese Deckbrettchen etwas zurückgezogen. Sie liessen nun vorne einen Aufstieg für die Bienen frei, hinderten aber die Königin am Bestiften der Honigwaben. Zwischen Honigwaben und Deckel war ein Handraum von 4,5 cm vorgesehen, damit die Honigwaben mit den Fingern gut ergriffen werden konnten. Auf die Honigwaben wurden nochmals längs laufende Deckbrettchen eingeschoben (h). Der Spalt zwischen Deckbrettchen und Deckel wurde mit einem Abschlusskeil verschlossen (i).

te nicht die Wabentragleisten von Dzierzon, sondern konstruierte Ganzrähmchen, die auf drei Etagen in den Kasten geschoben werden konnten.

Die Berlepsche Ständerbeute war in Südwestdeutschland weit verbreitet und wurde Vorbild für den Schweizer Bienenkasten (Bürki-Jeker-Kasten, → S.100, 101). (37)

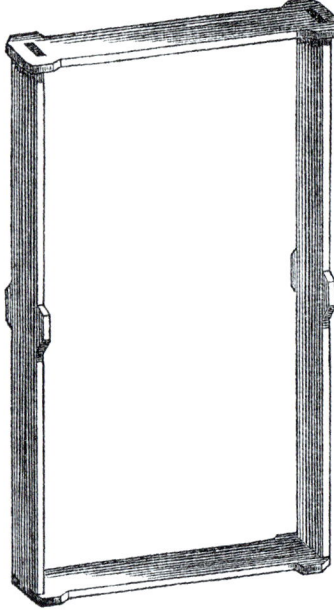

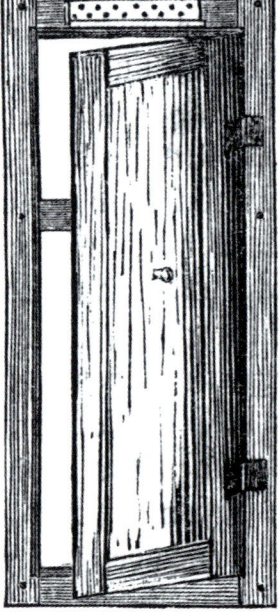

Abb. 110
Wabenrahmen
Die Bienen bauten die Waben in je 12 gleich grosse Rahmen, die in Nuten eingeschoben wurden. Die Ober- und Unterleisten waren an den Enden verbreitert, damit die natürliche Wabenbreite von 35 mm eingehalten wurde. Zwischen Kastenwand und Rahmenholz war ein Abstand von 7–8 mm vorgesehen, damit die Bienen die Wabenrahmen nicht an den Seitenwänden festbauten. Von Berlepsch hat diese „Bienendistanz" fast gleichzeitig und unabhängig von Langstroth erkannt (→ S. 99).

Abb. 111
Hoher Brutrahmen
Einige Imker störten sich daran, dass im Brutraum zwei Rähmchenreihen eingeschoben werden mussten. Deshalb empfahl von Berlepsch den „Doppelrahmen" für den Brutraum. Er selber imkerte lieber mit nur einem Rahmenmass, damit jede Wabe überall eingesetzt werden konnte.

Abb. 112
Fenster und Türe
Der Kasten wurde mit einer verglasten, leicht abnehmbaren Rückwand zugeschlossen. Durch das Fenster konnte das Volk jederzeit störungsfrei beobachtet werden. Das Glas wurde mit einer Holztüre abgedunkelt.
Berlepsch stapelte seine Kästen in grossen, geschlossenen Bienenhäusern, wobei die Kästen gleichzeitig die vier Seitenwände des Bienenpavillons bildeten.
Die Erfindung des Berlepsch-Kastens war meisterhaft bis ins letzte Detail durchdacht. (15)

Geschichte der europäischen Bienenhaltung und -forschung

Oberbehandlungskasten: Langstroth (1810–1895)

Der Prediger und Mathematiklehrer Lorenzo Langstroth lebte in Philadelphia (USA). Er begann um 1840, Bienen zu halten, und eignete sich umfassende Kenntnisse über die europäische Bienenhaltung an. Angeregt durch die „Rahmenbude" von François Huber (→ S. 91), suchte er nach einem Kastensystem, bei dem sich die Waben leicht herausheben liessen, ohne dabei zu Messer oder Draht greifen zu müssen. Schliesslich machte Langstroth die entscheidende Beobachtung: Zwischenräume von 8 mm (±2 mm) werden von den Bienen nicht verbaut. Wenn diese „Bienendistanz" (Beespace) zwischen Wabenrahmen und Kastenwand eingehalten wird, schliessen die Bienen die Lücken weder mit Wachs noch mit Propolis. Langstroth liess seine Magazinbeute patentieren und stellte sie 1851 der Öffentlichkeit vor. Ein Jahr später erschien das entsprechende Lehrbuch.

Langstroths Magazinkästen

Abb. 113
Einfachste Konstruktion eines Brutmagazins mit einem Brutrahmen. Der Wabenrahmen wurde im hinteren Drittel mit einer stehenden Holzleiste verstärkt. Der lose Deckel und Boden sind nicht gezeichnet.
Langstroths zweckmässiges und einfaches System eines Oberbehandlungskastens wurde internationaler Standard.

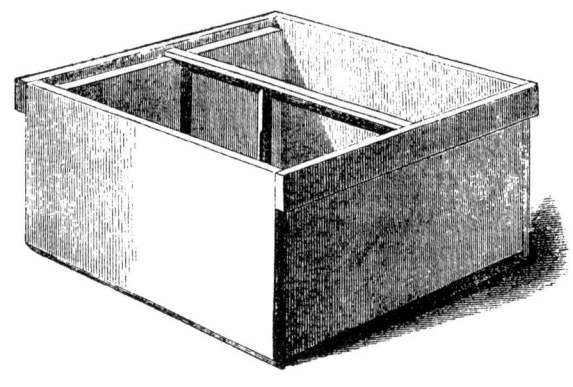

Abb. 114
Langstroth zeichnete auch Pläne für kompliziertere Beutenkonstruktionen. Längsschnitt durch das Brut- und das aufgesetzte Honigmagazin. Der Kasten ist an den Stirnseiten doppelwandig. Die Innenwand bildet gleichzeitig den Falz, auf dem die Ohren der Wabenrahmen aufliegen. Über das Honigmagazin wird ein schützender Holzkasten mit Dach gestülpt. In der Rückseite der Zargen sind zwei Glasfenster eingebaut. Flugnische und Doppelboden sind mit dem Brutmagazin fest zusammengebaut.

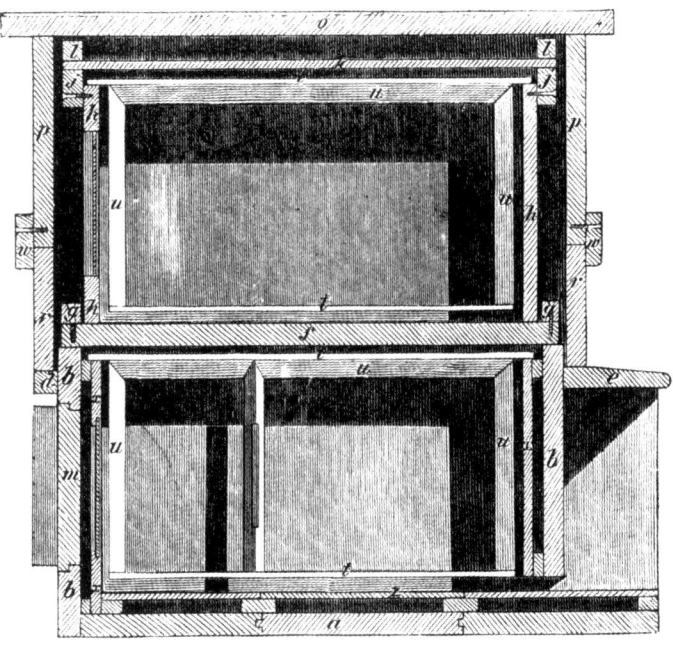

Kulturgeschichte der Honigbiene

Langstroths Magazinbeute erfüllte drei Kriterien, was diesem Kasten zu weltweiter Verbreitung verhalf.
- Der Abstand von Wabenmitte zu Wabenmitte beträgt 35 mm; dadurch bauen die Bienen die Waben genau in die Rahmen.
- Zwischen den beweglichen Wabenrahmen und den festen Teilen der Beute besteht stets ein Zwischenraum von 8 mm (±2 mm). Diese „Bienendistanz" wird von den Bienen nicht mit Wachs oder Propolis verschlossen.
- Die Kastenwände sind mit Falzen versehen. Auf diesen liegen die Enden (Ohren) der Wabentragleisten. Dadurch lassen sich die Wabenrahmen bequem verschieben und herausheben.

Das eigene Mass der (Deutsch)Schweiz

Der Bienenkasten mit den beweglichen Waben und die mit ihm verbundene „rationelle Bienenzucht" fand allmählich auch in der Schweiz grossen Anklang. Gut belesene oder weit gereiste Imkerpersönlichkeiten veröffentlichten Berichte über die neuen Bienenkästen. Der in Zürich lehrende Professor *August Menzel* schrieb 1860 über den „Dzierzonstock und die Italienische Biene". *Lehrer Märki* aus Lenzburg, der erste Aktuar des „Vereins schweizerischer Bienenwirte", beantwortete die Frage „Wie beschafft man sich um billigen Preis zweckmässig konstruierte Dzierzonstöcke?". *Edouard Bertrand* (1832–1917) führte den Dadant-Kasten (in leicht abgeänderter Form) in die Westschweiz ein, und *Christian Bürki* aus Liebefeld baute sich um 1860 Hinterbehandlungskästen nach Berlepsch' schem System.

Die Bürki-Wabe hatte ein Innenmass von 23 cm Höhe und 27 cm Breite und war somit eine Breitwabe. Die Honigwaben waren gleich gross. Im Kasten hatte ein Honigraum Platz. Die Wabentragleisten lagen in Nuten der Kastenwand. *Peter Jakob* von Fraubrunnen, ein Freund von Bürki und Redaktor der „Schweizerischen Bienenzeitung", verbreitete eifrig die Vorzüge der Mobilwaben-Imkerei und propagierte speziell den Bürki-Kasten und die Verwendung von Kunstwaben (Mittelwänden). Erfahrungen mit dem Bürki-Kasten zeigten jedoch, dass die Völker auf den relativ kleinen Breitwaben oft schlecht überwinterten. Diesen Nachteil verbesserte 1880 Pfarrer *Josef Jeker* (1841–1924). Auch er war Redaktor der „Schweizerischen Bienenzeitung" und zugleich Präsident des deutschschweizerischen Vereins der Bienenfreunde. Jeker erhöhte die Brutwabe auf 36 cm, reduzierte aber die Höhe der Honigwaben auf 12 cm. Der Kasten bot nun Platz für zwei Honigräume. Die bisher üblichen Nuten ersetzte Jeker durch Tragleisten. Der neue Bürki-Jeker-Kasten bewährte sich gut und fand im deutschschweizerischen Vereinsgebiet rasche Verbreitung. Er entsprach in seinen Ausmassen nahezu dem ursprünglichen ersten Kasten von Baron von Berlepsch.

Geschichte der europäischen Bienenhaltung und -forschung

Abb. 115
Die Entwicklung des „Schweizerkastens"
(Bürki-Jeker-Kasten)

Honigraum

Brutraum

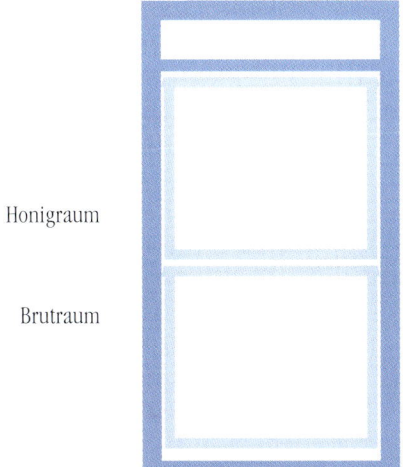  

Bürki-Kasten 1860
Anzahl Brutwaben: 16
Innenmasse: 30 x 58,5 x 50 cm
Volumen: 90 l

Bürki-Jeker-Kasten 1880
Anzahl Brutwaben: 11
Innenmasse: 30 x 63,5 x 50 cm
Volumen: 95 l

Schweizerkasten seit 1900
Anzahl Brutwaben: 14
Innenmasse: 30 x 73,5 x 60 cm
Volumen: 135,5 l

Um die Jahrhundertwende wurde der Bürki-Jeker-Kasten vergrössert. Die Honigwaben wurden auf die halbe Höhe der Brutwaben erhöht. Der Brut- und der doppelte Honigraum waren nun gleich gross. Dieser Kasten wurde **„Schweizerkasten"** genannt. Er ist auch heute noch in der Deutschschweiz der meistverbreitete Kastentyp (→ Band „Imkerhandwerk", S. 21 f.). In der welschen Schweiz wird mehrheitlich der Dadant-Kasten benutzt, eine Magazinbeute, die ursprünglich in den USA entwickelt wurde und heute hauptsächlich in Frankreich und Italien verwendet wird (→ Band „Imkerhandwerk", S. 24).

Mittelwandpressform:
Mehring (1815–1878)

Der deutsche Imker und Schreiner Johannes Mehring präsentierte 1857 an einer Imkerversammlung die ersten Wachsmittelwände. Es waren dünne Wachsplatten mit dem aufgeprägten Grundriss der Wabenzellen. Sinn und Nutzen dieser Erfindung waren anfänglich nicht sofort ersichtlich, und Mehring wurde von den meisten belächelt oder kritisiert. Dzierzon zum Beispiel nannte die Verwendung von Mittelwänden eine Stümperei, von Berlepsch aber erachtete sie als geniale Erfindung. (53b)

Honigschleuder:
von Hruschka (1819–1888)

Der österreichische Major Franz Edler von Hruschka erfand 1865 die erste Honigschleuder. An einer Wanderversammlung von Imkern beschrieb er seine „neue Art und Weise, den Honig aus den Waben zu gewinnen, ohne die letzteren zu beschädigen" und bot den ersten geschleuderten Honig an. Bisher wurden die vollen Honigwaben zerstückelt oder entdeckelt und der Honig tropfte durch ein Sieb ab. Anschliessend wurden die fast leeren Honigwaben ausgepresst oder geschmolzen und das obenauf schwimmende Wachs wurde abgeschöpft. Die Imkerwelt war begeistert von Hruschkas Erfindung. (12)

Kulturgeschichte der Honigbiene

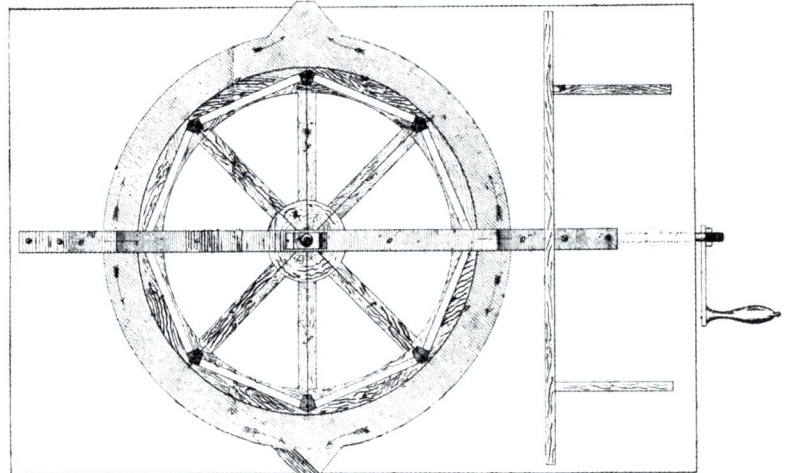

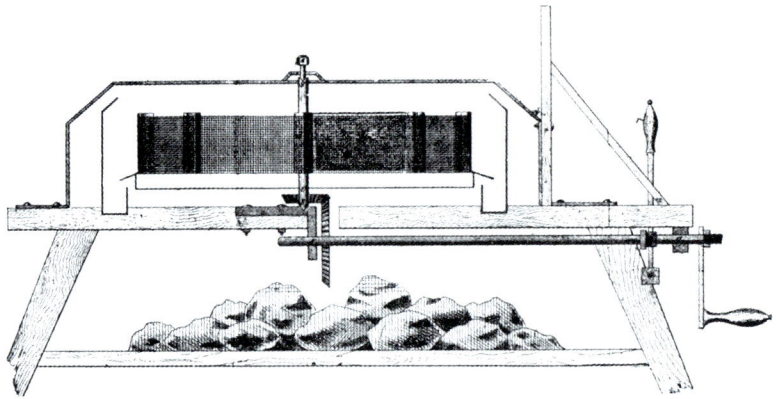

Abb. 116
Originalzeichnung der ersten Honigschleuder von Hruschka
Hruschka bezeichnete seine Honigschleuder als „Centrifugal-Apparat zur vollkommenen Entleerung des Honigs aus den Waben, ohne diese von den Rähmchen oder Stäbchen trennen zu müssen".
Oben: Ansicht, unten: Querschnitt A–B

Königinnen züchten: Alley und Doolittle

Ein weiteres, wichtiges Element der modernen Bienenhaltung, die Königinnenzucht, wurde Ende des 19. Jahrhunderts in Amerika bekannt. Um der Nachfrage nach Italienischen Bienen nachzukommen, genügte die Königinnenzucht via Ableger nicht mehr. Eine schnellere und effizientere Methode musste gefunden werden.

Ab 1865 wendete Henry Alley in Amerika ein Verfahren an, bei dem er weisellosen Völkern schmale Zellstreifen mit eintägigen Larven zusetzte. Die Larvenzellen wurden dann vom Volk zu Königinnenzellen ausgezogen. Später verbesserte Doolittle dieses Verfahren. Statt Zellstreifen verwendete er einzelne künstliche Weiselnäpfchen, in die er von Hand je eine eintägige Larve transferierte. Diese Methode wurde internationaler Standard. (25)

Geschichte der europäischen Bienenhaltung und -forschung

Abb. 117
Königinnenzucht nach Alley
Henry Alley schnitt Waben mit eintägigen Larven in dünne Streifen (a) und befestigte diese mit heissem Wachs an einer gekürzten Brutwabe (b).

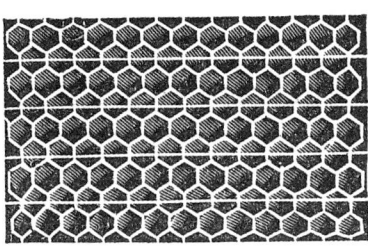

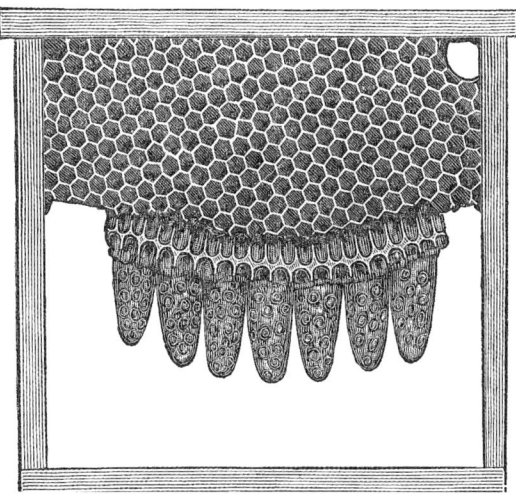

Abb. 118
Königinnenzucht nach Doolittle
Doolittle verbesserte das Verfahren von Alley. Statt des Wabenstreifens mit Larven verwendete er künstliche Weiselnäpfchen, in die er von Hand eintägige Larven transferierte (umlarven).

Kulturgeschichte der Honigbiene

3.7 Vereinigung der Bienenfreunde

Aus den ökonomischen Gesellschaften des 18. Jahrhunderts erwuchsen im 19. Jahrhundert in ganz Europa Imkervereine. Damals unterlag die Bienenzucht einem starken Wandel. Wesentliche Neuerungen waren: der Mobilbau, die künstlich hergestellten Mittelwände und die Honigschleuder. Das Ziel der neu gegründeten Vereine war es, die Imkerschaft mit den unbekannten Verfahren vertraut zu machen. Zu diesem Zweck gaben die Imkervereine auch die ersten Bienenzeitschriften heraus. 1861 gründeten rund 100 Imker in Olten den **Verein schweizerischer Bienenwirte**. Der Oltener Arzt Christian Christen wurde zum Präsidenten und der Lehrer Märki aus Lenzburg zum Aktuar gewählt. Bis zur Wanderversammlung von 1863 in Luzern waren bereits sechs Regionalvereine gegründet worden. 1865 fand in Rapperswil die erste Bienenausstellung statt. Doch auf die enthusiastischen Gründerjahre mit Festumzügen, Musik und Feuerwerk an den Jahresversammlungen folgte eine Zeit der Ernüchterung. Aufgrund zahlreicher Missernten um 1870 und grosser Überwinterungsverluste schwand das Interesse an der Imkerei. An der Wanderversammlung 1872 in Bern nahmen nur 20 Personen teil! Die noch jungen Imkerorganisationen steckten in finanziellen Nöten und waren uneinig. Als Petrus Jakob 1877 als Vereinspräsident zurücktrat, wünschte er „dem Verein mehr Zusammenhang, dem Vorstand mehr Einigkeit und dem neuen Präsidenten mehr Segen in seinem Wirken, als mit dem seinigen verbunden gewesen sei". (57g) Unter der geschickten Führung des Präsidenten Pfarrer Josef Jeker aus Olten besserten sich die Verhältnisse. Jeker verstand es, die Imkerschaft vom Vorteil einer zentralen Organisation zu überzeugen. Viele lokale Bienenvereine schlossen sich dem **Verein Schweizerischer Bienenfreunde** an. Zur Förderung der Bienenzucht organisierte der Zentralverein regelmässig Imkerkurse, bis die lokalen Vereine erstarkt waren und die Aus- und Weiterbildung selber übernehmen konnten. Das Lehrbuch „Der Schweizerische Bienenvater" erschien 1889 zum ersten Mal. Jeker, Kramer und Theiler waren die Autoren. In dieser Zeit wurden auch die Bibliothek und das Museum auf dem Rosenberg bei Zug gegründet. Auf dem Fundament jener Vereinsepoche und durch die unermüdliche Arbeit von Männern wie Kramer, Theiler, von Planta und Göldi wurden auch die Verbands-Institutionen geschaffen: Honigkontrolle, Königinnenzucht, Beobachtungsstationen, Faulbrutversicherung, Haftpflichtversicherung.

Die **Société d'Apiculture Romande (SAR)** wurde 1876 gegründet. *Edouard Bertrand* (1832–1917) prägte die westschweizerische Bienenzucht massgebend. Er führte den Dadant-Kasten, in leicht abgeänderten Massen, in der Westschweiz ein. Dieser Dadant-Blatt-Kasten ist eine frei stehende Oberbehandlungsbeute (vgl. Langstroth-Magazin). Bertrand wurde 1879 Redaktor des „Bulletin d'Apiculture pour la Suisse romande". Aufgrund des grossen Erfolges und der steigenden ausländischen Leserzahl wurde diese Zeitschrift in „Revue internationale d'apiculture" umbenannt. 1884 erschien Bertrands noch heute bekanntes Buch „La conduite du rucher".

Die Interessen der Tessiner Imker wurden ab 1912 von der **Società Ticinese di Apicoltura (STA)** wahrgenommen.

Die drei Vereine (Verein deutschschweizerischer und rätoromanischer Bienenfreunde, Société romande d'apiculture und Società ticinese di apicultura) publizierten je ihre eigene Zeitschrift. Für ein geschlossenes Auftreten im Ausland und bei den Bundesbehörden wurde 1951 der **Verband der Schweizerischen Bienenzüchtervereine** gegründet.

3.8 Bienenforschung im 20. Jahrhundert

Die Bienenforschung des 20. Jahrhunderts prägte ein Mann, dessen Arbeit 1972 mit dem Nobelpreis ausgezeichnet wurde: *Karl von Frisch* (1886–1982). Er brach 1905 sein Medizinstudium ab und wechselte zur Biologie. 1912 führte er die ersten Versuche zur Farberkennung der Bienen durch. Aufgrund zahlreicher Versuche folgerte er, dass die Farberkennung der Bienen „weit mehr als angenommen unserer Sehfähigkeit nahekommt. Der Hauptunterschied besteht in der Unfähigkeit der Bienen, Rot zu erkennen, andererseits verfügen sie über eine ausgeprägte Empfindlichkeit gegenüber Ultraviolett". Im Jahr 1919 machte von Frisch die wichtigste Entdeckung seines Lebens. Er beobachtete ein kleines Bienenvolk auf einer Wabe in einer Glasbeute. In einiger Entfernung des Stocks stellte er eine Schale mit Zuckerwasser auf, und schon bald sog sich dort eine Biene voll. Zur grossen Verwunderung von Frischs vollführte diese Biene bei ihrer Rückkehr im Stock einen Rundtanz. Einige Nestgenossinnen tanzten ihr auf der Wabe nach und verliessen anschliessend den Stock, um bei derselben Schale ebenfalls Zuckerwasser zu holen. Bienentänze wurden bereits 1775 von Spitzner und 1823 von Unhoch beschrieben, aber erst die beharrlichen Untersuchungen von Frischs erklärten dieses Verhalten: Mit dem Tanz verständigen sich die Bienen. Diese „Bienensprache" enthält Informationen über Entfernung, Richtung, Ergiebigkeit und Art der Nahrungsquelle. Der Bienentanz gehört zu den raffiniertesten Verständigungsmitteln im Tierreich und ist auch heute noch nicht bis in alle Einzelheiten geklärt (→ Band „Biologie", S. 73 f.).

Abb. 119
Kommunikation im Bienenvolk
Karl von Frisch misst am Beobachtungskasten mit dem Winkelmesser die Richtung eines Schwänzeltanzes.
Durch jahrelange Arbeit am Beobachtungsstock war es von Frisch und seinem Team an der Universität München gelungen, die Tanzsprache der Bienen zu entschlüsseln.

2 Kulturgeschichte der Honigbiene

Martin Lindauer (1918), ein Schüler von Frischs, wurde vor allem bekannt durch Untersuchungen zu folgenden Themen:
- Temperaturregulation und Wasserhaushalt des Bienenvolkes
- Funktion der Sinnesorgane bei der Orientierung der Biene
- Entscheidungsfindung des Bienenschwarms bei der Quartiersuche

Thomas Seeley erforschte in den letzten 20 Jahren weitere Einzelheiten des Bienentanzes. Zudem untersuchte er, wie ein Bienenvolk nach Bedarf den Nektar-, Pollen- und Wassereintrag reguliert. (54)

Weitere wichtige Forschungsbereiche und praktische Umsetzungen im 20. Jahrhundert sind unter anderem:

- die Erforschung der Mehrfachbegattung von Bienenköniginnen und deren Beweis im Jahr 1954 durch *Alber* und die *Gebrüder Ruttner*
- die Abstammungslehre und Systematik der Honigbiene durch *Friedrich Ruttner* (1914–1998) (50)
- der Einsatz anderer Bienenarten zur Bestäubung kommerziell wichtiger Pflanzen (z. B. Hummeln für Tomaten, Solitärbienen für Klee)
- die künstliche Herstellung gewisser Duftstoffe (Pheromone) der Bienen (z. B. als Königinnenersatz beim Versand von weisellosen Völkern oder als Lockstoff auf Blüten, um den Erfolg bei der Bestäubung zu steigern)

3.9 Liebefelder Bienenforschung

Peter Fluri

Entstehung

Zu Beginn des 20. Jahrhunderts verursachte die Faulbrut grosse Schäden an den Bienenvölkern. Ulrich Kramer, Präsident des Vereins Schweizerischer Bienenfreunde, suchte Hilfe im Kampf gegen diese Bienenseuche und wandte sich an Robert Burri, Dozent für landwirtschaftliche Bakteriologie an der ETH in Zürich. Burri gelang es 1904, bei der als Faulbrut bezeichneten Seuche zwei verschiedene Bakterienkrankheiten zu unterscheiden, die Faulbrut und die Sauerbrut.

1907 wurde Burri Direktor der „Eidgenössischen milchwirtschaftlichen und bakteriologischen Versuchsanstalt" in Liebefeld und gründete dort einen neuen Forschungszweig, der sich der Biologie und den Krankheiten der Bienen widmete. Diese Institution wurde als „Bienenabteilung" bekannt und hiess später „Sektion Bienen". Seit dem Jahr 2000 trägt sie den Namen „Zentrum für Bienenforschung".

Wichtige Themen in der Forschung und Beratung

Bienenkrankheiten

Nachdem anfänglich die Bekämpfung von Faul- und Sauerbrut im Zentrum der Forschung stand, kamen im Laufe des 20. Jahrhunderts noch drei weitere Seuchen dazu: die Nosema, die Tracheenmilbenkrankheit und die Varroatose (→ Band „Biologie", S. 101 f.). Zudem wurde über Krankheiten gearbeitet, die zwar die Völker nicht landesweit heimsuchten, aber dennoch erhebliche Verluste verursachten, wie Kalkbrut, Amöben-Ruhr, Viruskrankheiten und verschiedene Mischinfektionen. Spezielles Interesse galt auch den Krankheiten und Störungen der Königinnen. Die langjährige Dienstleistung der Diagnostik krankheitsverdächtiger Bienen- und Wabenproben musste 1996 aus Spargründen aufgegeben werden.

Abb. 120
Liebefeld
In diesem schönen Backsteingebäude wurde 1901 die Eidgenössische landwirtschaftliche Versuchsanstalt in Liebefeld eröffnet. 1908, ein Jahr nach der Gründung der „Bienenabteilung", errichtete der Bund seinen ersten Bienenstand (links im Bild).

Bienenweide, Ernährung der Völker, Qualität und Eigenschaften der Bienenprodukte

Nach 1930 gewann die Pollenanalyse zur Herkunftsbestimmung und Charakterisierung des Honigs an Bedeutung. Später wurden zusätzliche chemische und sensorische Merkmale in die Untersuchungen mit einbezogen. Bis 1987 prüfte die „Sektion Bienen" routinemässig Honige. Heute werden sie in kantonalen oder privaten Laboratorien getestet. Seit Ende der Achtzigerjahre müssen die Bienenvölker regelmässig gegen die Varroamilben behandelt werden. Schon bald stellte sich das Problem von Rückständen in Bienenprodukten. Zur Messung der Akarizidrückstände in Honig, Wachs und Propolis wurden in Liebefeld spezielle Methoden erarbeitet. Um die langfristige Entwicklung der Rückstände zu verfolgen, werden regelmässig Stichproben erhoben.

Imkerliche Betriebsweise

In Liebefeld wurden Versuche gemacht, um Fragen aus der Praxis der Bienenhaltung zu beantworten. Untersucht wurde zum Beispiel die Beschaffenheit der Bienenkästen, die Fütterung der Völker, die Wanderung, der Umgang mit Schwärmen, die Jungvolkbildung, die Volksentwicklung sowie die Honiggewinnung und -lagerung.

Entwicklung der Bienenvölker

In wissenschaftlichen Versuchen mit Bienenvölkern muss deren Entwicklung genau erfasst werden. Deshalb wurde eine *Methode zur Schätzung der Volksgrösse* sowie ein Verfahren zur Auswertung der Daten entwickelt. Damit lässt sich die Volksentwicklung über ein Jahr oder länger verfolgen.

Selektion, Zucht, Paarungsbiologie

Seit den Sechzigerjahren beteiligte sich die „Sektion Bienen" an Reinzucht-Projekten von Züchtergruppen. Honigleistung und Entwicklung von rein gezüchteten Bienenvölkern der Carnica- und der Landrasse wurden miteinander verglichen. Aufgrund der Erhebung beeinflusst der Standort die Leistung deutlich stärker als die Rasse.

Um Kriterien zur Beurteilung der Drohnensicherheit von Belegstationen zu erhalten, wurde das Verhalten der Drohnen beim Aufsuchen der Drohnensammelplätze beobachtet. Auch dieser Forschungsbereich musste 1996 aus Spargründen aufgegeben werden.

Kulturgeschichte der Honigbiene

Bienenvergiftungen, Bienenschutz

Seit den Fünfzigerjahren bildeten Bienenvergiftungen und deren Vermeidung ein Dauerthema. Gefahrenquellen waren vor allem die *Pflanzenschutzmittel* aus der Landwirtschaft. Im Rahmen der Zulassung solcher Mittel beurteilte die „Sektion Bienen" deren Verträglichkeit für die Bienen.

Bekannte Bienenforscherinnen und -forscher in Liebefeld

In der über 90-jährigen Geschichte des Bieneninstituts arbeiteten insgesamt rund 40 Forscherinnen und Forscher. Einige unter ihnen wurden als Fachleute in weiten Kreisen bekannt: *Otto Morgenthaler* (Institutsleiter 1913–1952). Biologie und Bekämpfung der Bienenkrankheiten, vor allem Faulbrut, Sauerbrut, Tracheenmilben- und Nosemakrankheit. Mitbegründer und 1949 bis 1957 Generalsekretär der Apimondia (Organisation der Bienenzüchter aller Länder). *Anna Maurizio* (Mitarbeit 1928 bis 1965). Pionierin der Pollenanalyse zur Herkunftsbestimmung des Honigs. Bienenbotanik. Gründungsmitglied und Präsidentin der internationalen Kommission für Bienenbotanik. Ernährung und Physiologie der Bienen. Bienenvergiftungen durch Pflanzenschutzmittel und Industrieabgase.
Werner Fyg (Mitarbeit 1930–1963). Bau und Physiologie der Bienen, speziell der Königinnen. Krankhafte Erscheinungen bei Bienenköniginnen.
Hans Wille (Institutsleiter 1957–1987). Biologie und Bekämpfung der Bienenkrankheiten. Entwicklung, Massenwechsel und Nährstoffversorgung der Bienenvölker. Physiologie, Verhalten und soziale Arbeitsteilung der Bienen.
Luzio Gerig (Mitarbeit 1964–1991). Entwicklung und Massenwechsel der Bienenvölker. Biologie und Bekämpfung der Bienenkrankheiten. Gefährdung von Bienen durch Pflanzenschutzmittel und entsprechende Testmethoden. Verhalten und Orientierung der Königinnen und Drohnen beim Aufsuchen der Drohnensammelplätze. Physiologie der Königinnen.

Die heutigen Mitarbeiterinnen und Mitarbeiter und die aktuellen Fachthemen des Liebefelder Zentrums für Bienenforschung sind auf der Website im Internet zu finden (http://www.apis.admin.ch).

3.10 Statistischer Rückblick

Matthias Lehnherr

Die Umstellung der Strohkorb- auf die Kastenimkerei mit mobilen Waben sowie die Erfindungen der Mittelwandpressform und der Honigschleuder bewirkten ab 1875 einen grossen Aufschwung der Imkerei (→ S. 100 f.). „An den schweizerischen landwirtschaftlichen Ausstellungen in Bern 1895 und Genf 1896", schrieb Reichesberg 1905, „zeigte die Bienenzucht ganz ungeahnte Fortschritte und reihte sich in würdiger Weise an die anderen Abteilungen. Dieser Aufschwung erhält auch volle Bestätigung durch die eidgenössischen Viehzählungen. Die Schweiz zählte

1876	177 120 Bienenvölker
1886	207 380 Bienenvölker
1896	254 100 Bienenvölker." (64)

Laut statistischen Angaben nahm damals in erster Linie die Völker-, nicht aber die Imkerzahl sprunghaft zu. Das heisst, pro Imker wurden bedeutend mehr Völker gehalten:

Geschichte der europäischen Bienenhaltung und -forschung

Zeitperiode:	1875–1895
Zunahme der Völker:	44 %
Zunahme der Imker:	8 %
Zunahme der Völker pro Imker:	32 %

Gleichzeitig zu dieser Völkerzunahme verschlechterte sich die Nahrungsgrundlage für Bienen, wie Reichesberg weiter vermerkte: „Die meistens vorzüglichen Bienenweiden wie ausgedehnte Getreide- und Brachfelder, Repssaaten, Esparsetten- und Naturwiesen, lang gezogene Hecken aus Dorn-, Hasel- und Weidengebüsch sind der besseren Bodenverwertung durch Gräser- und Kleesaat, Kartoffel- und Rübenpflanzung, für die Bienenzucht gänzlich belanglos, gewichen." (In Getreidefeldern blühten früher viele Kornblumen.)

Erläuterungen zu Abb. 121

1. Um 1870 gab es wegen mehrerer sehr schlechter Honigjahre grosse Überwinterungsverluste (ungenügende Ernährung der Völker).
2. Der starke Völkerschwund zu Beginn des 20. Jahrhunderts wurde vermutlich durch die Faulbrut verursacht (→ S. 106). Vielleicht besteht ein Zusammenhang zwischen der aufkommenden Faulbrut einerseits und der Verminderung der Bienenweide, der starken Zunahme der Völkerzahl und der Einführung des mobilen Wabenbaus andererseits.
3. Ab 1920 gab es in Europa lokal Völkerverluste, die der Tracheenmilbe zugeschrieben wurden. Diese Verluste sind in der schweizerischen Statistik nicht nach-

Abb. 121   **Bienenvölker und Imker in der Schweiz von 1850–1990**

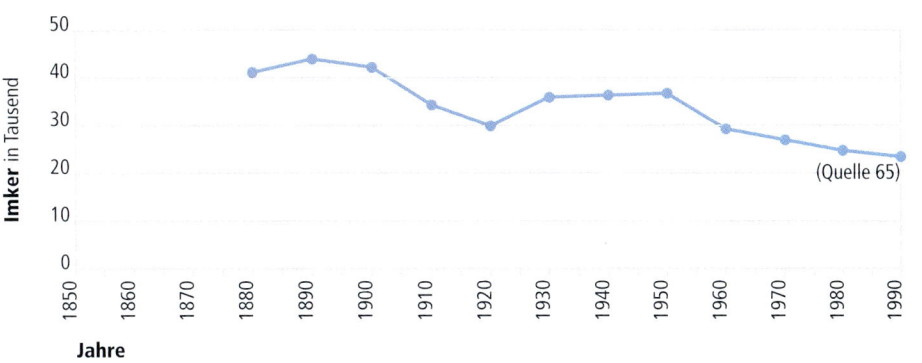

Kulturgeschichte der Honigbiene

weisbar. Der englische Bienenforscher Bailey begründete das plötzliche Erscheinen der Tracheenmilbe unter anderem so: „In Wirklichkeit scheint die Milbe möglicherweise überall in Gegenden vorhanden zu sein, in denen es Bienen gibt; aber nur dort, wo eine ärmliche oder unzuverlässige Tracht für Bienen gegeben ist, ist es den Milben möglich, zu überleben und in einer leicht feststellbaren Zahl zugegen zu sein." (66).

Während der Krisen- und Kriegszeit (ab 1918 bis 1950) nahm die Völkerzahl sehr stark zu (um 133 000 Völker oder 65 %).

4. Nach 1950 nahm die Völkerzahl wieder ab. Seit 1970 liegt sie bei ungefähr 300 000, gemäss statistischen Auswertungen des Bundesamtes für Landwirtschaft (67). Daraus wird ersichtlich, dass um 1990 mehr Völker gehalten wurden als um 1900. Dies ist erstaunlich, da sich die Bienenweide flächenmässig im 20. Jahrhundert drastisch verkleinert hat. Die hohe Bienendichte in der Schweiz beruht vermutlich auf der tief verwurzelten Tradition und weit verbreiteten Beliebtheit der Freizeit-Imkerei.

In Europa (EU) nimmt der Bestand an Bienenvölkern zu. Er beträgt zur Zeit 8,7 Millionen Stöcke, gegenüber 8,1 Millionen im Jahr 1997 (68).

Quellen

Naturgeschichte

1. Bellmann, H. (1992): Spinnen – beobachten, bestimmen. Augsburg: Naturbuch Verlag
2. Everts, S. (1995): Interspezifische Konkurrenz zwischen Honigbienen (Apis mellifera) und solitären Wildbienen. Natur und Landschaft, 70, 165–172
3. Gepp, J., Hölzel, H. (1989): Ameisenlöwen und Ameisenjungfern. Die Neue Brehm Bücherei: Band 589. Wittenberg: Ziemsen Verlag
4. Greeff, J. (1997): The cape honey bee and her way North, an evolutionary perspective. South African Journal of Science, 93, 306–308
5. Hagen, von E. (1994): Hummeln – bestimmen, ansiedeln, vermehren, schützen. Augsburg: Naturbuch Verlag; 5a: 5, S. 11; 5b: 5, S. 17; 5c: 5, S. 12
6. Hintermeier, H., Hintermeier, M. (1994): Bienen, Hummeln, Wespen im Garten und in der Landschaft. München: Obst- und Gartenbauverlag, 91–98
7. Kormann, K. (1988): Schwebfliegen Mitteleuropas. Vorkommen, Bestimmung. Beschreibung. Farbatlas. Landsberg: ecomed Verlagsgesellschaft mbH, 13
8. Liebig, G. (1999): Die Waldtracht. Stuttgart: Eigenverlag; 8a: 8, S. 150; 8b: 8, S. 165
9. Müller, A., Krebs, A., Amiet, F. (1997): Bienen. Mitteleuropäische Gattungen, Lebensweisen, Beobachtungen. Augsburg: Naturbuch Verlag; 9a: 9, S. 35; 9b: 9, S. 11; 9c: 9, S. 10
10. Oberholzer, A., Lässer, L. (1997): Ein Garten für Tiere. Erlebnisraum Naturgarten. Stuttgart: Ulmer Verlag
11. Ripberger, R., Hutter, C.-P., Faust, B. (1992): Schützt die Hornissen. Stuttgart: Weitbrecht Verlag; 11a: 11, S. 35; 11b: 11, S. 101–102
12. Ruttner, F. (1992): Naturgeschichte der Honigbienen. München: Ehrenwirth Verlag; 12a: 12, S. 39–42; 12b: 12, S. 267–270; 12c: 12, S. 290; 12d: 12, S. 129; 12e: 12, S. 125–132; 12f: 12, S. 145; 12g: 12, S. 87; 12h: 12, S. 225; 12i: 12, S. 105
13. Seifert, B. (1996): Ameisen – beobachten, bestimmen. Augsburg: Naturbuchverlag; 13a: 13, S. 69; 13b: 13, S. 40; 13c: 13, S. 82
14. Verein Schweizerischer Mellifera Imkerfreunde. Kontaktadresse im «Kalender des Schweizer Imkers»
15. Waterhaus, D. (1977): The biological control of dung. In: Eisner T., Wilson, E.O.: Readings from Scientific American: The insects. San Francisco: W.H. Freeman
16. Witt, R. (1998): Wespen – beobachten, bestimmen. Augsburg: Naturbuch Verlag, 54

Kulturgeschichte

1. Adam, L. (1985): L'Apiculture à travers les âges. Aurillac, S. 29
2. Altes Testament: Samuel 1: 14, 27
3. Altes Testament: Richter 14: 5–14
4. Altes Testament: Jesaja 7: 14–15
5. Apimondia (1977): Bienenmuseum und Geschichte der Bienenzucht. Bukarest: Apimondia-Verlag, S. 224–229
6. Armbruster, L., Klek, J. (1919): Die Bienenkunde des Aristoteles und seiner Zeit. Archiv für Bienenkunde, 1 (6), S. 185
7. Armbruster, L. (1931): Die Biene im Orient I. Der über 5000 Jahre alte Bienenstand Ägyptens. Archiv für Bienenkunde, 12 (5/6)
8. Armbruster, L., Klek, J. (1919): Die Bienenkunde des Aristoteles und seiner Zeit. Archiv für Bienenkunde, 1 (6), S. 229–234
9. Armbruster, L. (1919), Die Bienenkunde des Altertums I. Die Bienenkunde des Aristoteles und seiner Zeit. Archiv für Bienenkunde, 1 (6), S. 238–240
10. Armbruster, L. (1940): Zur Bienenkunde und Imkerei des Mittelalters. Archiv für Bienenkunde, 21 (1/3), S. 2–14
11. Armbruster, L. (1940): Zur Bienenkunde und Imkerei des Mittelalters. Archiv für Bienenkunde, 21 (1/3), S. 6–7
12. Armbruster, L. (1935): Die ersten Honigschleudern. 1865 – Ein Hruschka-Jubiläum – 1935. Archiv für Bienenkunde, 16 (3), S. 167–175
13. Armbruster, L. (1935): Hundert Jahre Parthenogenesis. Dzierzon der sparsame Bienenkönig. Archiv für Bienenkunde 21 (5), S. 283–314
14. Basler Zeitung: 20.11.1998, S. 87
15. Berlepsch von, A. (1860): Die Bienen und die Bienenzucht in honigarmen Gegenden nach dem gegenwärtigen Standpunct der Theorie und Praxis, S. 228–259
16. Bessler, J.G. (1885): Geschichte der Bienenzucht. Nachdruck 1978. Vaduz: Topos Verlag; 16a: 16, S. 92–94; 16b: 16, S. 23–27; 16c: 16, S. 124–128
17. Bodenheimer, F.S. (1928): Geschichte der Entomologie. Berlin: W. Junk; 17a: 17, Band 1, S. 53–55; 17b: 17, Band 1, S. 108–109; 17c: 17, Band 1, S. 104–105; 17d: 17, Band 1, S. 191–194; 17e: 17, Band 1, S. 328–339; 17f: 17, Band 1, S. 342–365; 17g: 17, Band 1, S. 415–498
18. Büll, R. (1960–1970): Vom Wachs. Hoechster Beiträge zur Kenntnis der Wachse. Frankfurt: Hoechst AG; 18a: 18, Band 1, Beitrag 4 (1960), S. 147; 18b: 18, Band 1, Beitrag 7/2 (1963), S. 436; 18c: 18, Band 1, Beitrag 10/11 (1970), S. 906; 18d: 18, Band 1, Beitrag 10/11 (1970), S. 902; 18e: 18, Band 1, Beitrag 10/11 (1970), S. 900; 18f: 18, Band 1, Beitrag 7/2 (1963), S. 504; 18g: 18, Band 1, Beitrag 3 (1963), S. 91–128; 18h: 18, Band 1, Beitrag 7/1 (1963), S. 321–346; 18i: 18, Band 1, Beitrag 7/1 (1963), S. 402; 18j: 18, Band 1, Beitrag 1 (1963), S. 25; 18k: 18, Band 1, Beitrag 9 (1968), S. 845; 18l: 18, Band 1, Beitrag 8/1 (1965), S. 555; 18m: 18, Band 1, Beitrag 10/11 (1970), S. 919–920; 18n: 18, Band 1, Beitrag 7/2 (1963), S. 450; 18o: 18, Band 1, Beitrag 10/11 (1970), S. 922; 18p: 18, Band 1, Beitrag 10/11 (1970, S. 1005; 18q: 18, Band 1, Beitrag 4 (1960), S. 166; 18r: 18, Band 1, Beitrag 10/11 (1970), S. 909–910; 18s: 18, Band 1, Beitrag 7/1 (1963), S. 371; 18t: 18, Band 1, Beitrag 2 (1963), S. 63–90; 18u: 18, Band 1, Beitrag 8/1 (1965), S. 652; 18v: 18, Band 1, Beitrag 10/11 (1970), S. 962–975; 18w: 18, Band 1, Beitrag 10/11 (1970), S. 899; 18x: 18, Band 1, Beitrag 4 (1960), S. 146–167
19. Buttel-Reepen von, H. (1915): Leben und Wesen der Bienen. Braunschweig: Vieweg und Sohn, S. 97–106
20. Caldecott, M. (1992): Kristall-Legenden. Saarbrücken: Neue-Erde-Verlag, S. 139–141

Quellen

21 Campbell, J. (1973): The hero with a thousand faces. Princeton: Princeton University Press, S. 3–24
22 Cardinali, F.B. (1699): In: Gronovio J.: Thesaurus Graecarum antiquitatum. Band 7, S. 407–423
23 Chauvin, R. (1968): Traité de Biologie de l'Abeille. Band 5: Favre H.: Histoire, Ethnographie et Folklore. Paris: Masson; 23a: 23, S. 37; 23b: 23, S. 122; 23c: 23, S. 124–139; 23d: 23, S. 138–139
24 Crane, E. (1999): The world history of beekeeping and honey hunting. London: Duckworth, S. 370
25 Doolittle, G.M. (1915): Scientific queen rearing as practically applied beeing a method by which the best of the queen-bees are reared in perfect accord with nature's ways. Hamilton: American Bee Journal
26 Duchet, F. X. (1771): Culture des abeilles ou méthode experimentale et raisonnée. Vevey: Chenebie, S. 137–154
27 Dzierzon, J. (1890): Der Zwillingsstock erfunden und als zweckmässigste Bienenwohnung durch mehr als 50-jährige Erfahrung bewährt. Kreuzburg: Thielmann Verlag
28 Frisch von, K. (1965): Tanzsprache und Orientierung der Bienen. Berlin: Springer Verlag
29 Gantner, T. (1980): Geformtes Wachs: Ausstellungskatalog. Basel: Schweizerisches Museum für Volkskunde, S. 57
30 Gélieu de, J. (1770): Kurze Anweisung für den Landmann; Enthaltend die einfältigste und sicherste Weise der Bienenwirthschaft. In: Abhandlungen und Beobachtungen durch die ökonomische Gesellschaft zu Bern gesammelt (1770, 2. Teil), S. 55–144
31 Gimbutas, M. (1982): The goddesses and gods of old Europe. London: Thames and Hudson, S. 128
32 Glock, J. Ph. (1897): Die Symbolik der Bienen und ihrer Produkte. Heidelberg: Theodor Groos; 32a: 32, S. 231; 32b: 32, S. 171; 32c: 32, S. 227–230; 32d: 32, S. 130
33 Götte, F. (1952): Cultura, zehn Essays. Stuttgart: Freies Geistesleben; 33a: 33, S. 94; 33b: 33, S. 93
34 Huber, F. (1796). Nouvelles Observations sur les Abeilles. Paris: Debray, S. 22
35 Isack, H.A., Reyer, H.-U. (1989): Honeyguides and honey gatherers: Interspecific communication in a symbiotic relationship. Science, 243 (10 March), S. 1343–1346
36 Joyrish, N. P. (1978): Die Welt der Bienen. Wien: Econ Verlag, S. 232
37 Koch K. (1931). Die Grossmeister und Schöpfer unserer deutschen Bienenzucht. Berlin: Fritz Pfenningstorff, S. 77–84
38 Lehnherr, M. (1990): Biene und spanischer Stierkampf. Schweizerische Bienen-Zeitung, Heft 4, S. 203
39 Lorenzen, I.T. (1958): Les Mystères du Logos. Triades, 6 (2), S. 40–41
40 Mannhardt, W. (1875): Wald- und Feldkulte, S. 541–552
41 Marchenay, P. (1984). L'homme et l'abeille. Paris: Berger-Levrault, S. 113
42 Matti, R., Müller, L. (1999): Von der Laus zur Platte. Basler Magazin, Wochenendbeilage der Basler Zeitung, 43, Nr. 7, S. 1–3
43 Maurer, E. (1958): L'Abeille dans la légende et la mythologie. Triades. 6, (2); 43a: 43, S. 69–70; 43b: 43, S. 75
44 Menzel, A. (1869): Die Bienen in ihren Beziehungen zur Kulturgeschichte. Zürich, S. 31–35
45 Newald, E. (1953). Der Österreichische Imker. 3, Heft 1, S. 203
46 Pfistermeister, U. (1982): Wachs – Volkskunst und Brauch. Nürnberg: Verlag Hans Carl; 46a: 46, Band 1, S. 29; 46b: 46, Band 2, S. 98; 46c: 46, Band 2, S. 94; 46d: 46, Band 2, S. 97; 46e: 46, Band 2, S. 98; 46f: 46, Band 2, S. 103; 46g: 46, Band 2, S. 198; 46h: 46, Band 2, S. 9–10; 46i: 46, Band 1, S. 73–86; 46j: 46, Band 1, S. 72; 46k: 46, Band 1, S. 36–3 ; 46l: 46, Band 1, S. 12–15
47 Ranke-Graves von, R. (1987): Griechische Mythologie. Reinbek bei Hamburg: Rowohlt Taschenbuch Verlag, S. 250–254
48 Ransome, H. (1937): The sacred bee in ancient times and folklore. London: George Allen & Unwin; 48a: 48, S. 96–97; 48b: 48, S. 96; 48c: 48, S. 280
49 Rech, P. (1966): Inbild des Kosmos. Eine Symbolik der Schöpfung. Salzburg-Freilassing: Otto Müller; 49a: 49, S. 313; 49b: 49, S. 314–315; 49c: 49, 309
50 Ruttner, F. (1992): Naturgeschichte der Honigbienen. München: Ehrenwirth
51 Schier, B. (1939): Der Bienenstand in Mitteleuropa. Leipzig: Verlag von G. Hirzel, S. 15–16
52 Schnalke, T. (1995): Diseases in wax. The history of the medical moulage. The Quintessence Publishing Company, S. 165–175
53 Schwärzel, E. (1985): Durch sie wurden wir. Giessen: Verlag Die Biene; 53a: 53, S. 105; 53b: 53, S. 152–153
54 Seeley, T. (1997): Honigbienen. Im Mikrokosmos des Bienenstocks. Basel: Birkhäuser Verlag, S. 155–174
55 Seidel, K. (1996): Die Kerze. Motivgeschichte und Ikonologie. Hildesheim: Georg Olms Verlag, S. 6
56 Siganos, A. (1985): Les Mythologies de l'Insecte. Paris: Librairie des Méridiens; 56a: 56, S. 86; 56b: 56, S. 64; 56c: 56, S. 184
57 Sooder, M. (1952): Bienen und Bienenhalten in der Schweiz. Basel: Krebs Verlagsbuchhandlung; 57a: 57, S. 188; 57b: 57, S. 9; 57c: 57, S. 225–228; 57d: 57, S. 36–48; 57e: 57, S. 63–104; 57f: 57, S. 296–297; 57g: 57, S. 328
58 Sprengel, C. K. (1793): Das entdeckte Geheimnis der Natur im Bau und Befruchtung der Blumen. Nachdruck 1972. Berlin: Cramer Verlag, S. 43
59 Sprengel, C.K. (1811): Die Nützlichkeit der Bienen und die Nothwendigkeit der Bienenzucht von einer neuen Seite dargestellt. Nachdruck 1934. Wien: Verlag Mein Bienenmütterchen, S. 26
60 Triomphe, R. (1989): Le Lion, la Vierge et le Miel. Paris: Les belles lettres; 60a: 60, S. 44; 60b: 60, S. 349
61 Weaver, N., Weaver E. (1981): Beekeeping with the Stingless Bee Melipona beecheii by the Yucatan Maya. Bee World, 62(1), S. 10
62 Wissowa G., (Hrsg.) (1899): Paulys Real-Encyclopädie der classischen Altertumswissenschaft. Stuttgart: I.B. Metzlerscher Verlag, 3. Band, S. 455
63 Wissowa, G., Kroll, K., Mittelhaus, K. (Hrsg.) (1973): Pauly's Realencyclopädie der Classischen Altertumswissenschaft. München: Druckenmüller Verlag; 63a: 63, Supplementband 8, S. 1348, Abschnitt 30; 63b: 63, S. 1410; 63c: 63, S. 1362, Abschnitt 60; 63d: 63, S. 1356–1356; 63e: 63, S. 1366–1372; 63f: 63, S. 1385–1386
64 Reichesberg (Hrsg.), Raaflaub (1905): Handbuch der Schweizerischen Volkswirtschaft, Sozialpolitik und Verwaltung. Bd. 1. Bern: Universität
65 Siegenthaler, H., Ritzmann-Blickenstorfer H. (Hrsg.) (1996): Historische Statistik Schweiz. Zürich: Chronos Verlag. S. 532–533, 546 f.